HOMENAJE
A
MIGUEL HERNANDEZ

VARIOS AUTORES

HOMENAJE A MIGUEL HERNANDEZ

Presentación y antología
por
MARIA DE GRACIA IFACH
y
MANUEL GARCIA GARCIA

Plaza & Janés, S. A.
Editores

18730

Portada de
J. B. OCHE

Primera edición: Marzo, 1975
Segunda edición: Febrero, 1976

© 1976, PLAZA & JANES, S. A., Editores
Virgen de Guadalupe, 21-33. Esplugas de Llobregat (Barcelona)

Printed in Spain — Impreso en España
ISBN: 84-01-80940-1 — Depósito Legal: B. 6.987 - 1976

«...todos los días son buenos para ensalzar la memoria del gran Miguel Hernández, que a su muerte, a pesar de la maestría de la obra cumplida, era el poeta de las mayores posibilidades.»

Corpus Barga. Lima, abril 1967

INTRODUCCIÓN

Al correr de los años y desde la muerte de Miguel Hernández, el 28 de marzo de 1942, se han escrito muchos poemas dedicados al autor de *Viento del pueblo*. Se anticipa a todos ellos el paisano y amigo de Miguel, Carlos Fenoll Felices, con su poema de adolescencia titulado «La sonata pastoril», publicado en el periódico local *El Pueblo de Orihuela* (1), y que fue la primera representación literaria del poeta oriolano:

> «A Miguel Hernández, el pastor que, en la paz y el silencio de la hermosa y fecunda huerta oriolana, canta las estrofas que le inspira su propio corazón.»

Cuando la tarde declina
y el sol va perdiendo el brillo
tras de la parda colina,
se siente la sonatina
de un alegre pastorcillo.
¡Es él...! El es quien inspira
de mi huerta los cantares;

(1) Orihuela, 30 de diciembre de 1929.

11

y es su cayado la lira
que suena cuando suspira
el viento en los olivares.
Sus versos son cual la brisa
que acaricia con dulzura
cuando la tarde agoniza
el agua que se desliza
silenciosa en el Segura...
Ya torna a su hogar querido
por la vereda desierta
de su rebaño seguido
este pastor ¡que ha nacido
para cantar a su huerta!
Recoge en su seno el viento
la sonatina que canta
marchando con paso lento...
¡El cantar tiene un acento
de plegaria sacrosanta!
Ostenta el cielo un color
amarillento pulido...
¡Es el iris que al cantor
lo subraya con amor
después del deber cumplido!

De los testimonios en prosa escritos en memoria de Miguel Hernández, evocamos aquí uno muy significativo de Pablo Neruda. El texto escrito en setiembre de 1960, con motivo del cincuenta aniversario de Miguel Hernández, a propuesta de un grupo de amigos españoles exiliados en París, permaneció largo tiempo inédito al negarse cierta revista literaria madrileña a reproducirlo (2). Re-

(2) Las cuartillas de Neruda llegaron entonces, a través de Muñoz Suay, a la revista *Indice*, que jamás las reprodujo en sus páginas.

cientemente, Ricardo Muñoz Suay, al morir el poeta chileno, pudo darlo a conocer en el semanario *Triunfo* (3) con el título de «Carta de Pablo Neruda a Miguel Hernández». La palabra poética y el recuerdo vivo del autor de «España en el corazón» son el mejor preámbulo de este homenaje al poeta oriolano:

«Recordar a Miguel Hernández que desapareció en la oscuridad y recordarlo a plena luz, es un deber de España, un deber de amor. Pocos poetas tan generosos y tan luminosos como el muchachón de Orihuela cuya estatura se levantará algún día entre los azahares de su dormida tierra. No tenía Miguel la luz cenital del Sur como los poetas rectilíneos de Andalucía sino una luz de tierra, de mañana pedregosa, luz espesa de panal despertando. Con esta materia dura como el oro, viva como la sangre, trazó su poesía duradera. ¡Y éste fue el hombre que aquel momento de España destinó a la sombra! ¡Nos toca ahora y siempre sacarlo de su cárcel mortal, iluminarlo con su valentía y su martirio, enseñarlo como ejemplo de corazón purísimo! Darle la luz. ¡Dársela a golpes de recuerdo, a paletadas de claridad de una gloria terrestre que cayó en la noche armado con la espada de la luz!

»Muchas cosas he dicho sobre Miguel en mi poesía: que este nuevo recuerdo en esta fecha de vida y de muerte memorables sea una

(3) Ver *Triunfo*, Año XXVIII, N.º 575, Madrid 6-X-1973, páginas 18 y 19.

13

línea más de la carta que le escribo, como si no hubiera pasado nada, como si aún estuviera en alguna parte, cantando, silbando y riendo. Líneas de una carta interminable que seguiré escribiéndole hasta que su canto me responda, nos responda, luminoso y victorioso.»

Dispersos en periódicos, revistas literarias, folletos, antologías y poemarios, más de un centenar de poemas se han escrito y publicado a la memoria de Miguel Hernández.

La idea de recogerlos en un volumen surgió en Valencia con motivo del Homenaje Nacional Universitario a Miguel Hernández en el veinticinco aniversario de su muerte. Este encuentro universitario de carácter peninsular había sido convocado en tierras andaluzas de Baeza (Jaén) con ocasión de los «Paseos con Antonio Machado», homenaje celebrado en honor del poeta sevillano en 1966. Baeza, que había tenido a Antonio Machado como profesor de francés en 1912, tendría veinticinco años después a Miguel Hernández como comisario de cultura. A la ciudad jaenense llegamos varios miles de españoles tras el recuerdo vivo del poeta de Sevilla y regresamos con la convocatoria del poeta de Orihuela.

Apenas inciada la primavera de mil novecientos sesenta y siete el viejo claustro de la universidad literaria valenciana acogía en su seno a una muchedumbre de estudiantes al encuentro con la poesía y el ejemplo del autor de *El rayo que no cesa*. Telegramas, cartas de adhesión, poemas, llegaron de todas partes en solidario testimonio con Miguel Hernández. El libro tomaba cuerpo. Josefina Escolano, espontánea y generosa colaboradora de aquel Homenaje, archivo vivo y perenne de Miguel, escribiría la primera página.

Posteriores iniciativas hernandianas ampliaron exhaustivamente nuestra documentación literaria sobre Hernández.

Hoy, tras denodada y delicada tarea de compilación y selección, traemos a estas páginas una primera antología de poemas que datan desde 1942 a 1974.

Para no dilatar en exceso el libro hemos prescindido de los pormenores y las motivaciones de la gestación de los poemas aquí recogidos, así como de las notas biobibliográficas que tan generosamente remitieron la mayoría de los poetas, y de una amplia bibliografía de los poemas dedicados a Miguel y publicados hasta la actualidad.

El texto erudito superaba el texto literario.

Es la hora de los versos.

¡Lástima que el vuelo exceda el ala!

Herreros (Soria) Verano 1974

MANUEL GARCÍA GARCÍA

PERMANENCIA DE
MIGUEL HERNÁNDEZ

2 — 3281

Si escribiéramos la palabra *vigencia*, podría interpretarse por su valoración de presente, de actualidad en un aquí y un ahora inmediatos, sin quizá futuro. En cambio, *permanencia* queda en el justo y exacto significado de lo que pretendo expresar: es decir, la más ceñida autenticidad del fenómeno histórico-social que representa Miguel Hernández. Aserto ni gratuito ni arbitrario, a la vista de los muchos y valiosos testimonios que poseemos y que, de poder reunirlos como evidente paradigma, llenarían innumerables páginas.

A lo largo de años, desde hace muchos, venimos observando que cualquier empresa intentada en torno a la extraordinaria figura del poeta oriolano, conduce a un suceso humano espectacular: la entrega colectiva de escritores y no escritores suscitada por el solo anuncio del acontecimiento. Así, cada vez que se organiza un homenaje: el del Ateneo madrileño, en 1960, el de Pontevedra, en 1965, el de la Universidad de Valencia, en 1967, y el de tantos otros.

En todos los casos los resultados fueron de elocuente entusiasmo, igualmente obtenido de personas ya encumbradas, de profesores o de estudiantes, y tanto llegados de viva voz, en forma de poemas y prosas, como a través de escritos firmados por centenares de nombres que se adherían al acto. Lo cual pone de relieve la indudable vigencia del poeta rememorado y, todavía más, su crecida permanencia apuntando hacia su inmortalidad.

No se trata de un mito, como algún detractor ha podido suponer, sino del tremendo significado que el poeta asume ante toda criatura sensible, no sólo por su sobrehumana realidad sino por su auténtica categoría artística. En este punto resulta increíble el criterio de Luis Cernuda, al atribuir la valía de Miguel y la de García Lorca, y la ascendente gloria de ambos, más al impacto causado por sus trágicas muertes que a su legítima calidad de poetas inmensos.

La influencia abarcadora que desde la posguerra ha venido ejerciendo Miguel Hernández en el mundo de la lírica, es la más irrebatible prueba de su fuerza de bardo y de su vigor de hombre total, igualmente contenidos en su obra. Influjo que no sólo presionó y sigue presionando en los poetas jóvenes, propicios a asimilar cualquier voz anterior, sino a algunos «mayores», atraídos deliberada o inconscientemente por su magno mensaje.

Dámaso Alonso ha situado a Miguel en la generación del 27, como «genial epígono». Con todos nuestros respetos diferimos del ilustre maestro. Por aquellos años —ya famosos Alberti, Aleixandre, Gerardo Diego, García Lorca, Guillén, Salinas...— Miguel no era sino un adolescente más cerca del pastoreo que del Parnaso, sin otro valor que el de vate local atrapado por los mimetismos románticos, de mayor o menor cuantía, que tuvieron su culminación en el de Rubén Darío.

Perito en lunas —cuyas octavas reales son joyas de difícil emulación— apareció en 1933 y su auto sacramental *Quién te ha visto y quién te ve y sombra de lo que eras*, en 1934. Aunque el poeta estaba ya cuajado, no alcanzaría su definitiva consagración hasta 1936, al publicar *El Rayo que no cesa*. Desprendido casi totalmente del barroquismo dominante, su caudal seguiría el curso de algunos clásicos transparentes, orientando su numen hacia el más sincero intimismo. El angustioso dolor que contienen los sonetos amorosos de *El Rayo...* hallaría su más elevada expresión en la *Elegía* a su amigo Ramón Sijé, la más conmovedora que se haya escrito en lengua castellana.

El fenómeno de los influjos va muy ligado al de las generaciones. El sensible intimismo de Miguel, corporeizado por sus elementos preferidos —sangre, tierra, cuchillo, toro—, ha sido y es cultivado por muchos seguidores que hacen honor a su origen, imitando desde la rica gama de imágenes y ciertos modos de expresión —la anáfora, la sinestesia, por ejemplo—, y hasta la grafía arcaica y caprichosa; pero, sobre todo, su lenguaje es continuado por otros poetas, admirables o de tono menor.

A veces, apenas es un eco que quizá pudiera confundirse con la particular manera del poeta influido, por lo que se sienten liberados de su presencia. Manuel Mantero apunta a la verdad, coincidiendo con otros investigadores: «todos los poetas surgidos en la posguerra están obligados en más o en menos (a Miguel Hernández)». Obligados, añado yo, no sólo en lo formal o estético sino en lo cálido de su comunicación, además de inducidos por su afinidad moral y por un afán de rehumanizar la Poesía.

Como sea, lo que importa es que Miguel fue marcando, desde siempre y cada vez más, un camino por el que anduvo con paso firme: un camino sembrado de sentimiento más que de pensamiento —con ser éste muy elevado—, que va a desembocar en el desarraigo y el existencialismo y conduce al problema social.

Son palabras de fácil confusión por los muchos matices psicológicos que contienen, todos proyectados hacia la búsqueda de una convicción, de una verdad. Creemos firmemente que, por encima de cualquier otro aspecto de la poesía hernandiana, su medular sentido existencial y social es el que más ha influido en los poetas de generaciones posteriores. Luis Felipe Vivanco, agudo estudioso de su obra, lo ha explicado así:

> «Ha sido necesaria la feliz conjunción de las dos dimensiones fundamentales de nuestra lírica de todos los tiempos: la popular y la culta, para que se produzca un poeta tan enterizo y tan rico de aventura existencial española como Miguel Hernández.»

Ahora bien, esta «aventura» se supone iniciada en los poemas revolucionarios de *Viento del pueblo*, por cuanto contienen de vindicta y quejido desgarrado, o, a lo sumo, desde su amistad con

Pablo Neruda. Sin embargo, era congénita, sentida desde la misma cuna, bien abonada de humildad. El gigante chileno —junto con Rafael Alberti— no hizo sino fertilizar la siembra.

Esta impresión e interpretación personal me sitúa en desacuerdo con lo que el admirado hispanista Darío Puccini ha dado en llamar «conversión», aludiendo al resultado de tal amistad. Lo que más unió a ambos poetas, al margen de su afinidad ideológica, fue su hombría de bien. La superioridad de Neruda en edad, en experiencia y cultura, subyugó al oriolano, lo mismo que estaba subyugado por la paternal protección de Aleixandre y por la simpatía de García Lorca. En su vida representaron tres ídolos a los que debía venerar, con igual sentimiento que le había inspirado su paisano Ramón Sijé y siempre guiado por la vivísima luz de Gabriel Miró.

Miguel tenía suficientes motivos para pronunciarse en contra de la injusticia y la desigualdad social, desde su nacer «de un vientre desdichado y con pobreza» y a través de su humilde tarea de pastor. La continua lucha por superarse y mejorar de ambiente le dictaba una justificada protesta, salida de lo más profundo de su consciencia, que había de cristalizar, desde sus comienzos, en forma de poemas y de prosas.

La titulada «Miguel —y mártir», ¿no es acaso una reacción de inconforme? Obligado desde muy niño a limpiar el establo y a otros sucios menesteres, hundido en un mundo inferior al que merecía, su queja quedaría explícita en esa página admirable, cuyo final dice:

¡Todos los días! me estoy santificando, martirizado y mudo.

En otra, *Vía de campesinos*, expone también su sentir de pobre, animando a ser libres a los labradores. Su experiencia infantil de los Reyes Magos está cantada con transido desaliento en un poemita adolescente:

> *Por el cinco de enero*
> *cada enero ponía*
> *mi calzado cabrero*
> *a la ventana fría.*
> ...
>
> *Nunca tuve zapatos,*
> *ni trajes, ni palabras,*
> *siempre tuve regatos,*
> *siempre penas y cabras.*

Con parecido sentido social se dirige al trabajador en la *Oda —al minero, burlona,* a quien pide se rebele contra su tarea subterránea:

> *Bajo todas las plantas, genuflejo,*
> *y ni odio manifiestas:*
> *¿dónde? tu macho está, ¿dónde? tu sexo...*
> *Sal de las piedras estas;*
> *álzate en vilo, erígete en protestas!*

Todo lo cual fue escrito antes de conocer a Pablo Neruda. También hay desarraigo en otros muchos poemas, por ejemplo en *El silbo de afirmación en la aldea*, donde apostrofa:

¿Cuándo será, Señor, que eches
tanta soberbia abajo de un suspiro?

En 1935 Miguel Hernández tenía acabado su drama social *Los hijos de la piedra*, nacido del impacto causado por la insurrección de los mineros de Asturias el año anterior. Por esa época, teniendo 24 años, conocía ya a otros poetas acuñados en el problema sociopolítico: León Felipe, César Vallejo, Raúl González Tuñón... (Este último se inspiró también en la rebelión asturiana para escribir *La rosa blindada*.) Pablo Neruda acababa de publicar *Residencia en la tierra*, que tanto había de influir en los jóvenes poetas, los Panero, Rosales, Vivanco, Miguel... Por entonces, escribe *Alba de hachas*, poema netamente social que permanece inédito, así como *Mi sangre es un camino, Vecino de la muerte, Sino sangriento, Me sobra el corazón*, casi todos en verso libre y con un marcado acento existencialista.

En *Sino sangriento* —como brotado de una herida en la frente, al echarse de cabeza al río Segura— reafirma su tragicismo en torno a su destino, intuido desde la mocedad. El argumento de su lucha contra la sangre, la presencia de la luna turbulenta, el cuchillo, las serpientes, la muerte, en fin, está relatado con la más encendida pasión. Bellísimas palabras premonitorias cierran el poema:

Me dejaré arrastrar hecho pedazos,
ya que así se lo ordenan a mi vida
la sangre y su marea,

> *los cuerpos y mi estrella ensangrentada.*
> *Seré una sola y dilatada herida*
> *hasta que dilatadamente sea*
> *un cadáver de espuma: viento y nada.*

Igualmente dramático es el acento de *Me sobra el corazón*, donde el deseo de morir se declara abierta, valientemente:

> *No puedo con mi estrella.*
> *Y me busco la muerte por las manos*
> *mirando con cariño las navajas,*
> *y recuerdo aquel hacha compañera*
> *y pienso en los más altos campanarios*
> *para un salto mortal serenamente.*

Desesperada tristeza que descansa en la frase «me sobra el corazón» y no sabe «por qué ni cómo» se perdona «la vida cada día»...

Las significativas Odas a Vicente Aleixandre y a Pablo Neruda, justifican plenamente la influencia de ambos poetas en Miguel, durante aquella época. El sevillano había publicado *La destrucción o el amor*, uno de sus libros fundamentales, proyector de ecos no extinguidos. El gongorismo había quedado muy atrás en la poesía hernandiana; menos atrás la dulzura y la sabiduría de San Juan y de Garcilaso, tan bien representados en los *Silbos* y en la *Égloga* al «claro caballero de rocío». El presente poemático se le ofrecía de acuerdo con el realismo del poeta chileno y la serena intensidad de Aleixandre. Su naturaleza de bardo podía repartirse a lo largo del tiempo entre diversos influjos, desde el que procedía del

Siglo de Oro hasta el de su actualidad, de todos los cuales surgía siempre flamante su poderoso ego intransferible. Gerardo Diego lo dice bellamente:

> «Miguel se incorpora toda inicial influencia con tal asumidora personalidad que queda su poesía triunfante y novísima, su metal de voz hirviente y sonoroso, su ritmo propio y restallante, campeando en el suelo de la mejor poesía española.»

En algunas composiciones, insisto, es evidente la marca nerudiana, como en *Sonreídme*, de vibrador compromiso. La posible presión de Neruda y Alberti pudo servirle para reafirmarse, manteniéndose fiel a sí mismo. En su inclinación temporal hacia la poesía «impura», no sólo asumía la forma del autor de *Canto general* sino el sentido, inclinándose derechamente a lo social a través de la renovación poética. Vivanco ha dicho que «la poesía impura es un primer paso hacia la poesía social». Aspecto que en la de Miguel Hernández es patente desde muy temprano.

Ya queda revelado en su auto sacramental, escrito entre los 22 y los 23 años. Aunque de índole sacra, contiene escenas y parlamentos de un revolucionarismo inconfundible, que se extiende y amplía en el «drama del monte y sus jornaleros» *Los hijos de la piedra*, quizá la principal base, digamos, literaria, para crear la épica de *Viento del pueblo*, el primer gran libro de la guerra civil española.

En plena contienda, Antonio Machado dijo:

«Junto al pueblo ha de estar el intelectual.» Sin embargo, Miguel no hubiese obrado jamás en virtud de una idea o una consigna, ni aun dictada por un talento superior: se puso al servicio del pueblo precisamente por estar integrado en él en cuerpo y alma; es decir, no como intelectual o poeta sino como criatura sencilla y consciente que, al margen de pensamientos más o menos filosóficos, sentía que su sangre tiraba de él, empujándole «del corazón y de los orígenes». Su entrega al pueblo en peligro fue absoluta, revitalizando su propia existencia, porque todo en él sucedía envuelto en su natural pasión.

Por lo demás, continuaban claros en su memoria dos sucesos de capital significación en su joven vida: las detenciones de que fue víctima, antes de la guerra; la primera, en 1932, yendo en el tren de Madrid a Alicante, por una nimiedad; la segunda, en enero de 1936, en San Fernando del Jarama, cuando contemplaba cerca del río el deambular pacífico de unos toros. Injusticias que un muchacho sensible difícilmente podía olvidar, como tampoco olvidó nunca los inmerecidos golpes que de niño recibiera de un padre severo. Tales hechos, quizá sin percibirlo, habían ido fogueando su vehemente cosmovisión, sobre todo el último contacto con los guardias, por demás violento, acaecido en una época en que el ánimo de los humildes estaba excitado por la tensión sociopolítica que desembocaría en el triunfo del Frente Popular.

No es, pues, extraño que el desencadenamiento de la guerra civil provocase en el joven poeta, como ha dicho el historiador Hugh Thomas, «una súbita explosión de actividad poética». Y ahí está, con la permanencia de lo eterno, su libro *Viento del pueblo*, cuyos poemas —*Sentado sobre los muertos, El niño yuntero, Recoged esta voz...*— se nutren de la savia popular con intención noble y españolísima. La excelente biógrafa de Miguel, Concha Zardoya, ha escrito: «Libro que arde y quema, duele y hace llorar. Libro en que se borran los límites entre poesía y hombre en peligro.»

Así es, en efecto. Y el poeta canta, grita o impreca y pide a los jóvenes que recojan su voz: esto es lo que hacen. El ritmo rotundo de casi todos los poemas de *Viento...* parece serenarse en la *Canción del esposo soldado*, cuya ternura se eleva como llama purificadora. La caudalosa humanidad de Miguel Hernández, en trance de guerrero y en vísperas de ser padre, estalla entre los versos.

Y está también *El hombre acecha*, de voz más grave y quebrada por emitirla un ser malherido en las entrañas de su hispanidad. *El tren de los heridos, Pueblo, Llamo al toro de España...*, contienen una apretada amargura por el hombre avizorante, lleno de odio crispado, olvidado de la sonrisa. Al poeta que conocía por sí mismo la miseria, le sobraban motivos para escribir *El hambre*. En *El herido*, el tema alcanza un plano universal. Otra vez la sangre saltando como «un trigal de chorros calientes», surtidores «siempre hacia el cielo», en el que los hospitales le parecen huertos de «adelfos florecidos»...

Poesía dramáticamente social abunda en *El tren de los heridos*, el

tren lluvioso de la sangre suelta,
el frágil tren de los que se desangran,
el silencioso, el doloroso, el pálido,
el tren callado de los sufrimientos.
Silencio.

Al final de cada cuarteto, la palabra «silencio» se repite, marcando el tragicismo encerrado en ese tren de moribundos, cuya máquina

detenerse quisiera bajo un túnel
de larga madre, sollozar tendida.
No hay estaciones donde detenerse,
si no es el hospital, si no es el pecho.
Silencio.

¿Cabe más desesperada angustia por la humanidad doliente?

De *El hombre acecha* es el hermoso *Llamo a los poetas,* cuyos nombres, hasta catorce, encabeza el de Aleixandre. La cadencia melancólica que no impide su valiente sentido, rezuma esencias existenciales como fruto de agridulce sabor. Con todos los nombrados: Alberti, Machado, Juan Ramón, Salinas, León Felipe, Neruda, etc. —nueve de los cuales ya le acompañan en la muerte—, Miguel quiere hablar «de la buena semilla de la tierra» y les invita a ser sencillos, «sin toga ni pavo real» para tratar «de la emoción del día», porque «siempre fuimos nosotros sembradores de sangre»... Y clama:

Ahí está Federico: sentémonos al pie
de su herida, debajo del chorro asesinado

que quiero contener como si fuera mío
y salta y no se acalla entre las fuentes.

El poeta que sufriría la guerra tan directa y virilmente, debía superar sus violentas etapas para desembocar en un particularismo más ceñido a su drama de esposo y padre. Pero también la melancolía del *Cancionero y romancero de ausencias* irradia un trágico existencialismo vivencialmente sentido, expresado en sus versos con la más escueta sencillez. En las canciones bélicas como en las de amor desolado —separación de la esposa, muerte del primer hijo—, hay un telúrico dolor de hombre inmenso, estelar.

El romance *Antes del odio*, por ejemplo, altera la conciencia del lector más sosegado. Al comienzo suavemente dolorido, su aire de cante jondo tensa sus cuerdas hacia un acento más viril, más heroico:

No, no hay cárcel para el hombre,
no podrán atarme, no.
Este mundo de cadenas
me es pequeño y exterior.
¿Quién encierra una sonrisa?
¿Quién amuralla una voz?

El poeta no admite su destino de preso y protesta desde el fondo de su alma y desde su limpia conducta, proyectando su desesperación hacia la senda de una soterrada ansiedad existencialista. Igual angustia emana de los *Últimos poemas*, excepto los que cantan a la maternidad, el tríptico *Hijo de la luz y de la sombra*, *Yo no quie-*

ro más luz, Desde que el alba... Los demás, *A mi hijo, Nanas de la cebolla, Eterna sombra...*, suscitan un ahogo no sólo psíquico sino físico, en el concepto de Kierkegaard. En *Eterna sombra*, escrito en la última prisión, dice, doliente:

Falta el espacio. Se ha hundido la risa.
Ya no es posible lanzarse a la altura.
El corazón quiere ser más de prisa
fuerza que ensanche la estrecha negrura.

Insistimos en que paralelamente a la poesía, en la obra teatral de Miguel va también implicado un claro contenido social, según ya apuntamos. En *Los hijos de la piedra*, el *Pastor* protagonista está conformado según el idealismo de su inventor: es él mismo quien dicta a éste y a los mineros sus frases de rebeldía; en *El labrador de más aire*, el «airoso» *Juan* encarna la hombría del autor; en *Pastor de la muerte*, escrito en plena guerra, el personaje *José* muestra una valentía semejante a la del poeta ante los peligros que le acecharon. Son claras semblanzas que cualquier lector atento puede advertir y que responden a su trayectoria vital, bien nutrida de penosas realidades.

Es muy lógico y humano que esa medular inquietud de Miguel Hernández contenida en su poesía, haya influido y siga influyendo, no sólo por cuanto significa como «arma cargada de futuro» (Gabriel Celaya), sino porque los poetas posteriores han ido creciendo y formándose en un clima descentrado y difícil. Tanto para los adolescentes de la inmediata posguerra como para la juventud actual, incluso la menos letrada, Miguel viene a representar un símbolo, un estandarte que respetar a la hora de conseguir una poesía comprometida y noble. También, naturalmente, por la necesidad que sienten de solidarizarse con los seres que sufren «en carne y espíritu, el rigor y la violencia de la época» (Concha Zardoya).

Arturo Serrano Plaja, ante la urgencia de un buen libro que reflejase la personalidad de Miguel, declaró en 1961: «La Humanidad no tendrá tantas ocasiones de disponer, para conocer el dolor humano, de un testigo de vista de la calidad de Miguel Hernández.»

Por su parte, Luis de Arrigoitia ha escrito que «su dramatismo impresionante queda acentuado por venir de un hombre que, en la plenitud de su vida, con la fortaleza de un toro y con capacidad para la lucha, se ve derrotado y quejoso en injusta lid».

La situación de nuestro poeta dentro del panorama contemporáneo, lo ha definido Leopoldo de Luis con elocuente laconismo: «Si la poesía social tuviera que ser reducida a un solo nombre por su autenticidad, tendríamos que limitarnos a escribir: Miguel Hernández.»

En tal aspecto —sin olvidar nunca el estético— podría citar a algunos poetas que desde distintos ángulos y en mayor o menor medida, están marcados por su influjo; sin embargo, para evitar herir susceptibilidades en cualquier sentido, me excuso de hacerlo: posiblemente se sintiera inquieto más de uno, al verse incluido, como quizá menospreciados los que forzosamente debería omitir; pasando del centenar entre españoles e hispanoamericanos, sería imposible ofrecer una relación exhaustiva. Mucho mejor silenciarlos a todos. En honor a ellos y a la verdad, debo añadir que muchos de los mejores tienen desde siempre personalidad propia y una creciente categoría que los induce a formar escuela. No obstante, insisto en que muchos y algunos que omito, pueden ostentar, y ostentan, una voz particularmente distinta pero en la que resuena la de Miguel Hernández, como quizá también la de otros grandes poetas: Whitman, Neruda, César Vallejo, Hazim Hikmet...

Si bien es cierto que hoy asoma una tendencia a disminuir la influencia hernandiana, también es cierto que sólo puede suceder en la medida justa en que el tema social haya descendido entre la poesía última. Como sea, no es lo radicalmente que se apunta. Tal como vemos y sentimos el ambiente humanístico, no sólo español sino universal, en modo alguno puede bajar demasiado de tensión el fenómeno social y, mucho menos, periclitar. Y cuantos conflictos atañen al mundo están contenidos en la circunstancia que rodea al poeta de nuestros días, más abocado a su compromiso y a su deuda con el hombre, que a sus problemas personales.

Marginando lo social y la presión hernandiana en tal sentido, una realidad es cierta e insoslayable: su vigencia como poeta clásico, liberado de modas y de ismos y fuera de un determinado tiempo, pues él representa pretérito y presente pero, sobre todo, futuro: es decir, como cualquiera de los líricos inmortales a través de los siglos: San

Juan, Quevedo, Garcilaso, Bécquer... Junto a ellos citan a Miguel nuestros eruditos, considerándole con sobrados méritos para hacerlo. Méritos que todavía no se han justipreciado como merece porque no se ha estudiado totalmente su obra. Ello está por venir, lo que significaría mayor conocimiento de la misma y, por tanto, mayor gloria iluminando su figura.

Como dije al principio, sería inadecuado reunir cuantas opiniones valorativas poseemos en torno a Miguel Hernández, pero no debo silenciarlas todas. Así, Aurora de Albornoz ha dicho:

«La vigencia de Miguel no se limita a un período histórico ni a un solo país. Impresionó en España en los años en que los poetas comenzaban a descubrirlo y sigue impresionándolos hoy. La admiración a la obra de Miguel crece de día en día en los países de habla española del otro lado del Atlántico. Su voz de rebeldía y esperanza es para todos los hombres.»

Antonio Buero Vallejo escribe:

«Para mí es Miguel Hernández un poeta *necesario*, eso que muy pocos poetas, incluso grandes poetas, lograron ser. La más honda intuición de la vida, del amor y de la muerte brota de su fuente como de esas otras fuentes sin las que no podríamos pasar y que se llama Manrique, San Juan de la Cruz, Fray Luis o Machado.»

Gabriel Celaya opina:

«Ni García Lorca, ni Aleixandre ni Guillén, ni ninguno de los "grandes" de la generación inmediatamente anterior, gravitan hoy en la conciencia de los jóvenes poetas españoles como Miguel Hernández.»

La fraternal amiga de Miguel, Carmen Conde, ha declarado:

«Vigencia, sí, inmensa. Pero no la conservaremos tan fresca y caliente a un tiempo, porque el tiempo asume y resume... y pasa. Nuestro Miguel es ya del tiempo, de la historia: es uno de los clásicos de lo humano en poesía que ha conquistado, íntegramente, la literatura española de posguerra... Los poetas son futuro. Miguel también lo es, aunque se vaya quedando en los libros de cuantos, con él, aciertan a destacarse del extenso campo riquísimo de las letras españolas universales.»

Ante tal aseveración, cito de nuevo el poema *Llamo a los poetas*, donde, al referirse a las bibliotecas y los museos, dice Miguel:

Ya sé que en esos sitios tiritará mañana
mi corazón helado en varios tomos.

Mas no sucede así. Su corazón nunca enfriado está en sus libros pero no abandonados en los anaqueles, sino recibiendo constantemente el calor de las manos amigas, de los ojos que leen sus versos y del llanto que provocan, hacia dentro o exterior.

Llanto que se repite cada vez que alguien visita su tumba, estremecido de tristeza; cada vez que le ofrecen allí un poema, de viva voz, o le escriben unas frases en un papel, escondido entre las flores. Germán Bleiberg fue testigo de uno de estos casos, en setiembre de 1973, al hacer acto de presencia en el Cementerio alicantino, acompañado de Vicente Mojica, Manuel Molina y Vicente Ramos. Lo cuenta de este modo:

«Cuando Manuel Molina retiró un ramo mustio y polvoriento —de algún visitante anterior—, cayó al suelo un papel, un breve mensaje firmado "Camarada" y fechado en Madrid el 17 de agosto de 1973; me regalaron el anónimo y significativo escrito; dice lo que sigue:

»Miguel: como tú bien dijiste "la juventud siempre empuja y siempre vence"; tú te fuiste, pero estáte seguro de que la juventud de toda España lleva tu obra y tu palabra bien metida en la cabeza. Adiós.»

«Nada podía ser más elocuente —sigue Bleiberg—, que este anónimo voto popular a favor de la vigencia de la obra y los ideales de un poeta.»

Un año después se ha repetido el hecho, siendo yo el testimonio personal. Cuando recogí del jarro las marchitas flores para colocar claveles rojos, encontré entre ellas una cartulina manuscrita, con rasgos femeninos por una cara y masculinos por la otra. La doble comunicación dice:

«Miguel: aunque las flores son para los muertos y tú no lo estás, recibe este homenaje de quienes como tú, sueñan con otra España; cumplimos así tu deseo de escribirte a la tierra quienes por otro lado ya hace años recibimos tu respuesta.»

«Para ti, Miguel, que eres barro primigenio, en cualquier estrella que te encuentres, un abrazo fraternal de este que dulcemente contagiaste con tu inmenso corazón universal. ¡Hasta siempre, más allá del barro!»

Lo que pudieran parecer consignas políticas no lo son exactamente, sino algo más profundo y conmovedor. Por encima de banderías, Miguel sustentaba una fabulosa humanidad capaz de suscitar reciprocidad en el gran amor que sentía hacia todo, atormentando su vida.

Guillermo de Torre le conocía bien y, al comentar su poema *Madre España*, defendió su postura:

«¿Cómo puede nadie tomar por enemigo a quien así cantaba? Porque Miguel Hernández ni siquiera en sus cantos de circunstancias especuló nunca con el odio o incurrió en fanatismos, del mismo modo que tampoco se prevalió de la lucha, haciendo de ella plataforma personal.»

No obstante el intenso significado de los mensajes transcritos, sugieren una visión más metafísica que social. Por eso los ofrezco, a fin de que la intención de descontento y desarraigo de los visitadores del poeta, se extienda más allá de mi personal conocimiento. Es otra manera de «recoger» su voz.

No creo hagan falta más testimonios para demostrar el fenómeno social e histórico conformando su figura inmensa. Pablo Neruda supo decirlo también, transidamente, en su bello poema *El pastor perdido*:

> *Hijo mío, recuerdas*
> *cuando*
> *te recibí y te puse*
> *mi amistad de piedra en las manos?*
> *Y bien, ahora,*
> *muerto,*
> *todo me lo devuelves.*
> *Has crecido y crecido,*
> *eres,*
> *eres eterno,*
> *eres España, eres tu pueblo.*

Valencia, agosto 1974

MARÍA DE GRACIA IFACH

ADVERTENCIA

Ordenada por autores y alfabéticamente hemos reseñado al pie de cada poema la referencia bibliográfica correspondiente a la primera edición del mismo, excepción hecha de los que permanecen inéditos.

Localizados más de un centenar de poemas publicados y dedicados a la memoria de Miguel Hernández, y otros tantos inéditos aún, pedimos desde aquí excusas a todos los poetas que generosamente nos enviaron sus versos y no aparecen en esta ocasión.

En atención al lector de habla castellana ofrecemos versión bilingüe —revisada por los autores— de los originales en lengua catalana y portuguesa incluidos en esta Antología. Nuestra gratitud a sus traductores Gabino Alejandro Carriedo y Francesc Pérez Moragón.

También agradecemos la colaboración de Gabino Alejandro Carriedo, Jacinto López Gorgé, Manuel Molina y Jaume Pérez Montaner, por la localización de algunos poemas.

ANTOLOGÍA

ALBA DEL 28 DE MARZO DE 1942

AHORA cruje la luz. Estás tan solo
como yo estoy ahora recordándote.
A tu lado hay un cuerpo que se mueve,
pero a tu alrededor no existe nadie.

Alzas la mano, escribes en el muro
como si el yeso fuese la compuerta
por donde las cárceles se abren.
Pero no. Tú estás solo y es el alba
afuera, en Alicante, en todas partes.

Una tras otra... «Adiós»... te vas muriendo
sin que nadie —«hermanos»— te sostenga
la cabeza vendada. «Camaradas...»
escribes contra el muro: «Amigos, despedidme...»

Y te aseguro
que está el trigo más blando, y que el sol nace
sobre todas las frentes de la tierra
donde hay un hombre solo recordándote.

RICARDO ADÚRIZ

(En *El Urogallo* Año III, N.° 18, Madrid, nov-diciembre 1972.)

ÉGLOGA FÚNEBRE

a tres voces y un toro para la muerte lenta de un
poeta

(1942)

A la memoria de Miguel Hernández

Voz 1: Antonio Machado
Voz 2: Federico García Lorca
Voz 3: Miguel Hernández
          (Fragmentos)

Voz 1

ALAS mi voz, se me escapó de un río
del que siempre volé de tu llanura,
cuando me fui quedando
vida de sombra, romeral bravío,
humo de pobre espliego divagando;
cuando mi clara voz se hizo neblina
y se me fue pasando
de rama verde de olivar a encina.

Voz 2

Potro de monte, ciervo despeñado
por los desfiladeros
de una luna perdida en un camino;

clavel disciplinado, castigado
a ser por tristes molineros
harina muerta de molino.
¡Oh, voz, oh limpia voz de escarpadura,
oh jinete de céfiro, oh destino
de brisa malograda y prematura!

Voz 3

Voz de tierra, mi voz se me salía,
de raíces y entrañas, polvorienta,
seca de valles, seca de sequía,
amarilla de esparto, amarillenta.
Suplicante de alcores
y frescos desniveles de ribazos,
de ser de altura y regadía,
me derramé, sangrienta,
acribillándome de flores
y de abejas los brazos.

···

Voz 1

El ancho toro abierto tundido coleaba,
arrancándose en troncos de varones y árboles.
Nunca vi un corazón crecer más encumbrado,
ni a un toro en pleamar verterse en pleamares.

Yo levanto mi angustia, mi aliento encanecidos,
nostálgicos de balas y sueños capitanes.
Diez muertes que brotaran mis diez dedos serían
pocas contra la muerte de una luna tan grande.

···

47

Voz 3

Me rompe oírte y mata verte
toro de cólera y de luz,
amenazado hasta la cruz
por ese estoque de la muerte.
Me arranco todo de la lana,
me quito ovejas y panales,
en ti me desemboco y me destilo
reciente, neto de mañana,
descarnado de filo,
voluntario de erales.

Ese violento hilo
que me agarra a la tierra y que me engrana
a sus raíces, entreabriendo
voz de maíz a mi costado,
de amapola a mis dientes,
se me descuaja de un tirón, poniendo
sobre tus hombros un soldado
de leales simientes.

Va en mi sueño el ganado
y la cigarra de la era;
va el tejo de la honda pajarera
con el glacial cuchillo cachicuerno;
la relampagueadora
segadora guadaña;
va también con mi vida a la trinchera
la dulzura de un tierno
recental escondido de mi entraña.

....

Voz 2 (desde el río)

La tarde va de huida por escaleras granas,
y por la mar un toro, desvanecido, a rastras,
bajo un redoble mustio de espumas y retamas.
Sube mi sangre, niño, del valle a la montaña.
En el principio eran las alas...

Voz 1 (desde lejos)

Yo me dejé los ojos olvidados en mi casa;
la voz, perdida y sola sobre provincias altas.
Quiero para morirme mis ojos, mi garganta.
¿No ves que ya me alejan a tumbos esas aguas?
Quita mi muerte, niño, de estas tierras extrañas.
En el principio eran las alas...

Voz 3

Amigos: ya las piedras y los cardos me llaman.
Premeditadamente, la sombra pica en calma
los materiales hoyos y dientes de sus ansias.
¡Ay, qué retardo y fría lentitud de mortaja!
En el principio eran las alas...

....

RAFAEL ALBERTI

(De *Pleamar* (1942-1947), Buenos Aires, 1944, Editorial Losada.)

DESPEDIDA AL AMIGO

NO despedida,
hermano.
Tu voz está.
Es eterna,
como el barro es eterno.

Tu voz,
la voz que nos dejaste,
tu palabra,
se maduró en los trigos.

Tu voz,
Miguel Hernández,
quema todos los vientos,
como miles de soles.

Tu voz,
Miguel Hernández,
«hermano, camarada, amigo»,
se quedó para siempre,
roja de fuego
bajo el sol de fuego.

Tu voz,
Miguel Hernández.

Tu palabra,
que dijo la palabra
de todos.

AURORA DE ALBORNOZ

(En *Caracola* N.° 101, Málaga, marzo 1961.)

EN LA MUERTE DE MIGUEL HERNÁNDEZ

I

NO lo sé. Fue sin música.
Tus grandes ojos azules
abiertos se quedaron bajo el vacío ignorante,
cielo de losa oscura,
masa total que lenta desciende y te aboveda,
cuerpo tú solo, inmenso,
único hoy en la Tierra,
que contigo apretado por los soles escapa.

Tumba estelar que los espacios ruedas
con sólo él, con su cuerpo acabado.
Tierra caliente que con sus solos huesos
vuelas así, desdeñando a los hombres.
¡Huye! ¡Escapa! No hay nadie;
sólo hoy su inmensa pesantez da sentido,
Tierra, a tu giro por los astros amantes.
Sólo esa Luna que en la noche aún insiste
contemplará la montaña de vida.

Loca, amorosa, en tu seno le llevas,
Tierra, oh Piedad que, sin mantos, le ofreces.
Oh soledad de los cielos. Las luces
sólo su cuerpo funeral hoy alumbran.

II

No, ni una sola mirada de un hombre
ponga su vidrio sobre el mármol celeste.
No le toquéis. No podríais. Él supo,
sólo él supo. Hombre tú, sólo tú, padre todo
de dolor. Carne sólo para amor. Vida sólo
por amor. Sí. Que los ríos
apresuren su curso; que el agua
se haga sangre; que la orilla
su verdor acumule; que el empuje
hacia el mar sea hacia ti, cuerpo augusto,
cuerpo noble de luz que te diste crujiendo
con amor, como tierra, como roca, cual grito
de fusión, como rayo repentino que a un pecho
total único del vivir acertase.

Nadie, nadie. Ni un hombre. Esas manos
apretaron día a día su garganta estelar. Sofocaron
ese caño de luz que a los hombres bañaba.
Esa gloria rompiente, generosa que un día
revelara a los hombres su destino; que habló
como flor, como mar, como pluma, cual astro.
Sí, esconded, esconded la cabeza. Ahora hundidla
entre tierra, una tumba para el negro pensamiento
[cavaos,
y morded entre tierra las manos, las uñas, los
[dedos
con que todos ahogasteis su fragante vivir.

III

Nadie gemirá nunca bastante.
Tu hermoso corazón nacido para amar
murió, fue muerto, muerto, acabado, cruelmente
                                [acuchillado de odio.
¡Ah!, ¿quién dijo que el hombre ama?
¿Quién hizo esperar un día amor sobre la Tierra?
¿Quién dijo que las almas esperan el amor y a su
                                [sombra florecen?
¿Que su melodioso canto existe para los oídos de
                                [los hombres?

Tierra ligera, ¡vuela!
Vuela tu sola y huye.
Huye así de los hombres, despeñados, perdidos,
ciegos restos del odio, catarata de cuerpos
crueles que tú, bella, desdeñando hoy arrojas.

Huye hermosa, lograda,
por el celeste espacio con tu tesoro a solas.
Su pesantez, el seno de tu vivir sidéreo
da sentido, y sus bellos miembros lúcidos para
                                [siempre
inmortales sostienes para la luz sin hombres.

VICENTE ALEIXANDRE

(En *Cuadernos de las Horas Situadas* N.º 2, Zaragoza, 1948.)

MOMENTO DE EVOCACIÓN

EN realidad, no pudo
darse cuenta en seguida... ¡tantas veces
había recibido la metralla
sobre la luz abierta de su pecho
porque un árbol moría entre sus brazos...;
el sombrío
temblor de las paredes
le había acariciado con tan loca
insistencia
cuando los compañeros parecían
amontonados entre barrotes...!

Y, además,
en su frente crecían las palomas
huidizas de su verso,
y un rayo no cesaba por su venas
de decirle secretos que abrigaban
su sangre dolorida... Es comprensible
que pudiera tardar sesenta siglos
de Civilización en comprenderlo:
que no viera
su propia sombra hundida tras el foso
de la cárcel que entonces lo enmarcaba.

Lo imagino
repartiendo la espiga de los campos

en noche de vigilia, derramándose
como una borrachera de optimismo
sobre los que con él entristecían
la mutilada paz de los hogares...

Poco tiempo
la vida permitió que realizara
su vocación de brisa entre la fiebre,
pues la Historia
nos dice que, en fecha que señalo,
convirtióse en recuerdo la presencia
del hombre
cuyo dibujo intentan mis palabras,
y al que Miguel llamaban sus amigos.

CARLOS ÁLVAREZ

(Del libro *Escrito en las paredes* Ed. Ebro. París, 1967.)

A MIGUEL HERNANDEZ

TE fuiste hacia la tierra
con los ojos abiertos
¡Tu tensión era tanta,
tan vital tu silencio!
Todas las procesiones
de heridos en tu clara
mirada ya dormidos;
por siempre los velabas.
Tu mirada no quiso
cerrarse, no pudieron...
Porque palpitó todo
en tu ser: los aullidos
de perros que buscaban
por ruinas a sus muertos
y envejecían de pronto;
las cabezas tronchadas,
las risas anchas, fértiles,
con miles de agujeros;
y esta patria, Miguel...
Todo llamaba en caos
de puños en tus muros,
tú eras el señalado,
el espíritu fuerte,
la tensión de la tierra,
del agua y de los hombres
toda en ti. Las llamadas

te sacudían. Tu carne
no pudo más, y un día,
en la celda mojada
en blancos enfermizos,
un destello cegó
tu vida, te alejaste.
Mejor dicho: cambiaba
algo en ti, pues seguías
y no cesarás nunca,
tu rayo ya lo dijo.

Esta noche mi aliento
se quebraba de nuevo.
Una mano muy seca
me negaba el sollozo.
Sin sentido la noche,
sin sentido la tierra,
y esta patria, Miguel...
Sin sentido mi noche,
pero pensé en tu muerte:
todo lo noble sigue,
resucita y ríe.
Entre la oscuridad
se desbordó tu llama
tan cordial y tan honda.
En el alba mi mano
acarició la tierra,
la palma se pegaba
y un palpitar sentía
en la tierra, allá hondo
un corazón que late,
sin rendirse a la muerte.
Un latido de tierra,
Miguel, te doy las gracias

por esta patria oscura
a quien diste sentido.
Cuando en estos lugares,
cuando la luz tan fértil
te incendiaba la boca,
entre la masa lenta
cogían tus manos ávidas
la tierra, iban pulsando
una vida implacable
de potencias que bullen
de una espera en acecho
sufriente, gritos mudos
de claveles y fresnos
por surgir, tan posibles,
fosforear de letargo.
Y como ecos informes
agolpados subieron
de la tierra hasta ti
por tus pies, raíces mágicas
te hallaron, conociste
y fue tu voz tan recia.
Ahora mejor comprendo
esa existencia opaca
de planeta que vive.
Tierra hambrienta que espera,
que espera siempre y puede
ser mi mano dormida,
un corazón cansado
o mi sueño despierto.
Miguel, te doy las gracias
por esta patria oscura
a quien diste sentido.

Algo potente y noble
desde abajo me llama.
Gracias, Miguel, de nuevo,
y también porque viste
a esta patria, Miguel,
y tu mirada ardiente
no quiso ya cerrarse
para el plácido sueño.
Tu mirada hacia España
abierta todavía.
Palpitando en la tierra,
me das de nuevo patria,
dos patrias, gracias, gracias,

ELENA ANDRÉS

(De *Desde aquí mis señales*, Salamanca 1971,
Colección Alamo.)

REENCUENTRO CON MIGUEL HERNÁNDEZ

A su hijo

AHORA cuando me vaya, amigo mío,
vecino de mi casa y sus frutales,
casi pared por medio a mis corrales,
no sé qué haré yo solo por el río.

Decirte que te vengas es desvío,
porque ¿cómo te dejas tus leales
Garcilaso y Sijé por unos tales
que llevan en arriendo el pío pío?

A mi pueblo me voy trochas cruzando
por no pasar por sitios que has medido,
tan bien, con tu garganta y paso justo.

Que parece mentira que pensando
cómo fueron las cosas, cómo han sido
no te paguen las rentas con más gusto.

JULIÁN ANDÚJAR

(Del libro *La soledad y el encuentro.* «Adonais».
Madrid, 1952.)

LEALTAD A MIGUEL HERNANDEZ

En su recuerdo

FUE en Valdepeñas, Miguel...
¿Cómo no vas a acordarte...?
El mediodía manchego
sabía a lo que tú sabes.

Una luz de dicha abierta,
sin ningún aire de cárcel,
abrió a la vida el camino
siempre alegre de un viaje.

Al volver para Madrid
con más vino que talante
en un tercera de Dios,
parecíamos dos ángeles.

Tú, pastorcico pintón,
no dejabas de quejarte;
tan borracho yo, o aún más,
procuraba consolarte.

—¡Ay, ay, ay, qué mal me siento!—,
fue tu más lírica frase...
—¡Qué borracho «va el poeta
por el sendero a la tarde»...!

Intentamos discutir
si Neruda, si Aleixandre...
—«Barba-Jota, a lo mejor,
se decide a excomulgarme»...

Atrás quedaban jornadas
de poesía y de coraje.
En misionero quehacer
fuimos hermanos leales.

Otra vez, en Salamanca,
cuando las gradas besaste
de Fray Luis, ya hicimos mucho
para sentirnos cuanto antes

amigos en la esperanza,
camaradas de donaire,
colegas de verso y fe
preocupados por salvarse.

Nadie podrá aclarar nunca
cómo la fe me ganaste;
nadie por qué un buen pastor
asombrara al estudiante.

Cuando viajábamos juntos,
aún no eras Miguel Hernández...
Después de muy pocos meses
llegó tu «rayo incesante»...

Unos, los menos, no vieron
lo que había de gigante,
de corazonazo inmenso,
de verdad en tu mensaje...

Otros demasiado puros,
demasiado estetizantes,
no sabían de tu risa,
de tus dientes, de tu sangre...

No imaginas lo que fue
para tu amigo estudiante,
verte borracho perdido,
antes, Miguel, de estimarte...

«Barba-Jota», Juan Ramón,
me habló de ti antes de darte
la alternativa famosa
con la que te consagraste...

Tú eras aquel que viniendo
de Valdepeñas, lograste
resolver tu borrachera
en cordialísimo alarde...

Tú, quien en vez de emporcar
al vecino, o de emporcarme,
hiciste del vino un canto
entero, fresco, fragante...

Fue en Valdepeñas, Miguel...
¿Cómo no vas a acordarte...?
Lleno de vino y de sol
en vez de caer, cantaste.

Los designios de la vida
te eligieron por cofrade.
Lo que pudo deshacerte
parecía alimentarte.

Parecía como si
tu canción necesitase
volar de una criatura
convertida en un paisaje.

Aquel que luego, al morir,
no hubo joven que no amase,
demostró con su salud
que sólo embriaga quien sabe

proclamar con equilibrio
con luminoso coraje
el acento de hombre entero,
la alegría impresionante

de ser limpio, ser honesto,
ser «labrador de más aire»,
embriagándose a su vez
para embriagar a los graves...

A quienes —¡recuérdalo!—
desde aquel pobre viaje,
procuramos merecer
tu amistad, Miguel Hernández...

ENRIQUE AZCOAGA

(De *Olmeda*, Salamanca, 1969, Colección Álamo.)

MIGUEL DE LA PALABRA...

MIGUEL, de la palabra
de ternísimo acero
y una rosa de duda
y sangre floreciendo.

De las almendras blancas
en el aire postrero,
del rayo que no cesa
y del ángel herrero.

La piedra y la ternura,
la lágrima y el trueno
y una verdad profunda
y sola, amaneciendo.

Los soles en tu mano
dejaron un destello
de granada y de carne
alumbrada por dentro.

Nunca olvidaste, nunca,
los campos y el enero
aguzado de estrellas
con el limón por centro.

De los pastos antiguos,
de la nube y del cerro,
quedaron en tu boca
sabor a yerba y besos.

De labrador y puro,
terrestre y colmenero,
panales antiquísimos,
la miel y cera en versos.

De la amorosa noche
supiste ya el secreto.
Te cogieron las olas
derrumbado en el lecho.

Miguel, Miguel amigo
del imposible almendro
que florece en estrellas,
verdades y silencio...

RAFAEL AZUAR

(En *Idealidad* N.º 49, Alicante, 1960.)

¡CÁLLATE, VOZ!

¡POBRE Miguel Hernández!
                    También te acosa
voz de cantapoetas
                    puesta de moda:
la que de Don Antonio
                    ha roto estrofas
—¡orquesta bullanguera,
                    música inhóspita!—,
va rompiendo tus versos,
                    pan de amapola.
Voz que el poema de otros
                    dejas en prosa,
voz que no hallaste sílabas
                    de buena nota
para tu musiquilla
                    devastadora,
voz, ¿por qué no te callas,
                    por qué te adornas
con lo que no has escrito,
                    pero que copias
sobre tu melopea
                    tan quejicosa?
¿Que los muchos te aplauden?
                    ¿Y que así consta
que hubo grandes poetas?
                    Si esto razonas,

será para tu lucro,

para tu gloria.
Ya que no has encontrado,

voz, tu voz propia
para decir palabras

que se conozcan,
deja que quien las tiene

nos hable a solas
sin que tú te entrometas.

¡Calla, que estorbas!
¡Nadie te necesita

de traductora
de lo que está bien claro

sin tus salmodias!
¡Regresa a tus canciones

de gran parroquia!
¡Déjate de bravatas

divulgadoras!
¡Déjate de poemas,

que desentonas!

ENRIQUE BADOSA

(En *Informaciones de las Artes y las Letras*,
Suplemento N.º 240, Madrid, jueves 8 febrero
1973.)

PALABRA A MIGUEL HERNANDEZ

SE me ha quedado corta
la voz
y no me alcanza.
Tú mereces, Miguel Hernández nuestro,
el gran grito de todos los heridos,
todos los maltratados,
y el silencio candente de los muertos
que te hacen compañía
con el amor al lado de los huesos,
no este susurro pobre ni este llanto,
agua de humana sal
tan infecunda
para la sed eterna de la tierra.

Corta de voz, larga de angustia, quiero
traerte sin embargo
mi presencia, que diga:
Aquí, Miguel Hernández,
antes de que la noche
me coja de improviso,
te reconozco en mí, disuelto y vivo,
tal como tú querrías
quedarte entre las gentes de tu pueblo.

En Valencia, la tierra que se esconde
por detrás de la luz y ahí se queda
parada al sol, perdida.
Miguel Hernández, vivo. Y te recuerdo.

MARÍA BENEYTO

LOS CONDENADOS

En homenaje a Miguel Hernández

¿ERAN culpables
o inocentes?
Las mañanas nacían igual, y ellos vivían a golpes
de azadón en los ojos,
removiendo la tierra y su conciencia
en la prisión del odio
más pura.
Lo que en otros
era final, se abría a su mirada
como una estrecha senda
donde el perdón crecía
difícilmente entre laureles.
¿Cuántos?: ¿Ciento? ¿Cincuenta?
No recuerdo
el número. A mis años,
se ve antes la sonrisa
o la palabra amable
o el gesto: «Para ti, te lo has ganado»,
que el número en que entraban
a ponerse ante el muro
del mostrador para acortar sus vidas.

Bajaban de un pequeño
montículo del norte
de la ciudad. Igual cada mañana.

La sonrisa encendida
porque había amanecido para ellos
quizá la última vez.
No eran culpables a mis ojos,
yo no sabía qué era
ser culpables: ¿Llevar los uniformes
de un verde-siena? ¿Botas desgastadas
o los ojos hundidos
por el dolor?
¿Ser puntuales a la cita
del vino aquel y el niño
cada mañana?

Bajaban de muy lejos,
de Extremadura y Murcia,
de Álava y Cataluña,
de tierras de Alicante,
del Puerto de Santa María,
de la violencia y la traición.
Y cuando oía sus voces
resonar en el frío de diciembre
salía a recibirlos.
Y tras el mostrador de mi inocencia
esperaba impaciente
con los vasos ya puestos
y la mirada lista.
«Otra ronda, la pago yo.»
Y pagaban
con su vida, escarbando
en la tierra los años
que les quedaba todavía
para ganar la libertad.

JOAQUÍN BENITO DE LUCAS

ENCONTRO COM UM POETA

EN certo lugar da Mancha,
onde mais pura é Castela,
sob as espécies de um vento
soprando armado de areia,
vim surpreender a presença,
mais do que pensei, severa,
de certo Miguel Hernández,
hortelão de Orihuela.
A voz dêsse tal Miguel,
entre palavras e terra
indecisa, como em Fraga
as casas o estão de terra,
foi un dia arquitectura,
foi voz métrica de pedra,
tal como, cristalizada,
surge Madrid a quem chega.
Mas a voz que percibi
no vento da parameira
era de terra sofrida
e batida, terra de eira.
Não era a voz expurgada
de suas obras seletas:
era uma edição do vento,
que não vais as bibliotecas,
era uma edição incômoda,
a que se fecha a janela,

74

ENCUENTRO CON UN POETA

EN un lugar de la Mancha
donde Castilla es más seca
bajo las trazas de un viento
que lleno de arena llega,
fui a conocer la existencia,
más de lo que pensé, austera,
de cierto Miguel Hernández
hortelano de Orihuela.
La voz de ese tal Miguel
entre palabras y tierra
vaga, como en Fraga las
casas lo están de la tierra,
un día fue arquitectura,
fue voz métrica de piedra,
tal como, cristalizado,
Madrid se alza ante el que llega.
Mas la voz que percibí
al viento en la paramera
era de tierra sufrida
y abrasada, tierra de era.
No era la voz escogida
de las sus obras selectas.
Era una edición del viento
que no va a las bibliotecas,
era una edición incómoda
a la que ventanas cierran,

incõmoda porque o vento
não censura más libera.
A voz que então percibi
no vento da parameira
era aquela voz final
de Miguel, rouca de guerra
(talvez ainda mais aguda
no sotaque da poeira;
talvez mais dilacerada
quando o vento a interpreta).
Vi então que a terra batida
do fim da vida do poeta,
terra que de tão sofrida
acabou virando pedra,
se havia multiplicado
naquelas facas de areia
e que, se multiplicando,
multiplicara as arestas.
Naquela edição do vento
senti a voz mais direta:
igual que árvore amputada,
ganhara gumes de pedra.

JOÃO CABRAL DE MELO NETO

(De *Paisagens com figuras* en *Duas Aguas*,
Río de Janeiro 1956, Livraria José Olympio Editora.)

incómoda porque el viento
no censura, mas libera.
La voz que entonces oí
al viento en la paramera
era aquella voz final
de Miguel, ronca de guerra
(tal vez más aguda
en el acento de la polvareda.
Tal vez más dilacerada
cuando el viento la interpreta).
Vi así que la tierra seca
del acabarse el poeta
—tierra que de tan sufrida
acabó haciéndose piedra—
se había multiplicado
en esas facas de arena
(multiplicación que tam-
bién las aristas aumenta).
En tal edición del viento
sentí la voz más directa:
como un árbol que, amputado,
ganara filos de piedra.

(Traducción de Gabino-Alejandro Carriedo.)

ELEGÍA

TENGO hacia ti un sollozo trastornado,
que me muerde los pulsos y los huesos
como un perro rabioso y azotado.

Se me avinagran de dolor los sesos
y se me salen por los ojos, vivos,
agrios, amargos, ácidos y espesos.

Te pronuncio impotentes vocativos
y al oír tu silencio interminable
se me levantan llantos subversivos.

Odio por ti, Miguel, lo irremediable,
en un rencor profundo, largo y ancho,
como una crin oscura e indomable.

En el rencor me engancho y me reengancho
sin tomar un resuello a la alegría.
Me saben a tus náuseas y a tu rancho

las cortezas del pan de cada día
y me repite el vino a la pelea
de sangre y soledad de tu agonía.

El cordel de tu muerte me rodea
el corazón de ti, de tu destino
y en mi dolor se crece y se recrea:

cuchillo de tu muerte, largo y fino,
que me persigue el cuello como un toro,
abriéndose en mi pecho su camino.

Toro tú sí, Miguel de toro y lloro,
de sudor y huracanes tu entrecejo;
barro dijiste, y vendaval sonoro.

Miguel de la tormenta y el consejo,
callado para siempre, ya vacío
de rayos y colmenas tu pellejo.

Miguel del corazón y del pío pío,
en besos y bramidos sustentado,
amasado de estiércol y rocío.

Labrador de más aire y más arado,
de blusa más fatal y masculina
y de su más tierno silbo vulnerado.

La tierra, que fue siempre tu vecina,
hogaño de tu especie se alimenta,
polvo no tu mirada, sino harina;

sobre el bancal que en ella se aposenta
qué cosas me dirían de tus entrañas
a solas el panal y la herramienta.

Ascenderá tu acento por las cañas,
y cuando flautas las elija el viento
harán llorar de amor a las montañas.

Ya podrá darse el río por contento
si se tienen sus aguas tan cercano
que puedan arrimarse a tu argumento

y lamer lo que quede de tu mano.
Pronto, Miguel, te echaron en el hoyo;
pronto dieron tus labios al gusano;

pronto encontró el naranjo desarrollo
en tu materia, y pronto tu materia
no dejó a la palmera sin apoyo.

Un afluente de mieles, una arteria
de azúcar derretido en desconsuelo
asciende al dátil desde tu miseria.

Lloran aún, buscando tu pañuelo,
un enjambre de abejas y otro enjambre,
de enfurecido y huérfano revuelo.

Áspero agosto de rigor y estambre,
dio de jornal el año a tu trabajo,
donde a tu enero dio granizo y hambre.

Larga mi pena, larga y sin atajo,
la camino, Miguel, la menudeo,
y sin tomar descanso la trabajo.

Por tu monte y por tu prado merodeo
predicando tu voz a las ovejas
desasistidas de tu pastoreo.

Bajo el dolor yugado de mis cejas
unciré los dos bueyes de mi llanto
para labrar la soledad que dejas.

Las dejaré labrar, y mientras tanto,
con las manos y el alma en carne viva,
mis uñas mullirán tu camposanto;

arrancaré la grama compasiva
con esta misma boca en que te nombro,
y la refrescaré con mi saliva
poniéndote su siesta bajo el hombro.

Y después, con tus versos y contigo,
me quedaré a morir sobre tu escombro,
si me quieres, Miguel, como tu amigo.

JAIME CAMPMANY

(En *Poesía Española*, N.º 23, Madrid, noviembre
1953.)

CRÓNICA

NO se murió de bala: se moría
de golpe y de gusano, como un fruto,
poco a poco vistiéndose de luto
(de lodo), de fermento y de avería.

Perdía algo de sangre cada día
y ganaba de Dios cada minuto.
En un rincón, esputo tras esputo,
amontonaba su melancolía.

Lo despegaron porque demostraba
indicios racionales de ser tierra,
porque gritando daba su lava,

porque el desprecio en su afición se cierra
y porque sólo a la mitad cantaba
entre todos los muertos de su guerra.

ALFONSO CANALES

(En *Sur*, Málaga, 27 enero 1974.)

A MIGUEL HERNANDEZ, EN SU MUERTE

CUANDO estaba en tu vida esperanzado
por verte y ser tu amigo y conocerte,
vino esa madrugada y esa muerte
y ese grito de amor desesperado.

Vino ese rayo oscuro y despiadado
a herir tu amor al fin, a herir tu suerte,
dejando el vuelo de tu sien inerte
y el árbol de tu sueño derribado.

De qué mundo implacable será el viento
que ha secado la luz de tu mirada
y la bronca hermosura de tu acento.

Y qué lenta y qué amarga madrugada
debió rozar tu pecho sin aliento
y desangrar tu boca desvelada.

JOSÉ LUIS CANO

(En *Fantasía,* Madrid, 1946.)

ELEGÍA POR LA MUERTE
DE MIGUEL HERNÁNDEZ

«¿No cesará este rayo que me habita...»
(*El rayo que no cesa*, MIGUEL HERNÁNDEZ)

TE fuiste hacia la sombra el mismo día
que yo volví a la luz: contraste amargo.
Te fuiste hacia la sombra del letargo
y del letargo en sombra yo volvía.

Llevaba entrecortada la alegría
por un silencio entristecido y largo.
Lo sospechaba todo, y sin embargo
tu desolada muerte no sabía.

Te fuiste para siempre, pero siento
tu incontenible rayo que no cesa
derretir los metales de tu acento

y extinguirte en minúscula pavesa.
¡Tú perdiste la vida en trance lento
y yo la pude rescatar ilesa!

VICENTE CARRASCO

(En *Ambito*, N.º 2, Gerona 1951.)

VEN, MIGUEL

HAN llamado a la puerta, y no, no era Miguel
tampoco esta vez. ¿Por qué no viene, por qué
es imposible que venga? Le estoy esperando siem-
                                              [pre
para hablar como tan sólo podría hablar con él.
¡Le necesito tanto! Porque él resolvería
con un solo zarpazo lo que no logro entender.
Han cambiado los tiempos, ¡vaya si lo sé!,
y ahora está tan de moda jugar al ajedrez
que añoro aquella furia solar y aquel tajante
distinguir al ibero toro del manso buey.
Barajo y más barajo sus versos abrasados
mas su verdad radiante despierta aún más mi sed
de tenerle aquí al lado, para jugar, y ser.

GABRIEL CELAYA

(Inédito.)

85

TORO EN GUADARRAMA

Al poeta Miguel Hernández, desde la vida,
donde fuimos amigos.

PORQUE tú eres lo que comes, pisas, ves ante ti,
y también el viento que te enrosca collares de
[bramidos.
Una yerba gigante, un arroyo entre guijas,
y la montaña áspera que a Tablada la asienta.
Mollares se hunden donde te clavas, las tierras;
y deliran por tus anchos costados relucientes
cuando, tan macho para el fanático hombre ligero,
te tumbas entresoñando lo que te cruza las san-
[gres.

No se interrumpe en ti la corriente o marea
que vahara los prados que por ti cobran brío.
Tu resuello potente, un tomillo de truenos,
estremece las tardes con futuro de músicas.
¡Pena que se abran coloreados trapos
y enarbolen arpones de humillantes sangrías,

86

esas criaturas locas con ropillas de circo
que ante tu fuerza cósmica hacen gala de astucia!

Eres la simiente espesa que germinan los muer-
[tos.
Cuando la tierra brota de sí, tú te la llevas
sentada entre tus lomos, tierra hembra raptada
por energías sin freno, en deseos desbocados.
Ágil tu cuerpo oscuro, firmes tus remos tensos,
este bramido orgiástico bajo tus medias lunas...
¡Toro que has sido leche de una vaca bravía,
embiste las estrellas, desgárranos la aurora!

No hay bestia más humilde que tú cerca del
[árbol;
brilla tu pelo en calma mientras la yerba muerdes,
y en los ojos que muerte de viles trazas cela
se reduce el paisaje que Dios hinche de gloria.
El sol se te deshace entre las horas plácidas,
ningún mal te visita hasta que el hombre quiere.

¡Oh qué alardes de gracia, de valor y destreza
se quedan desucados al medirse contigo!

Lo que un toro tiene es la sangre del mundo,
un rebullir de sangre que amontona su pecho
y alborota campanas y le ciega los ojos
para rendirlo al hombre, su traidor consagrado.
Es la gloria mirarte cuando inocente pastas,
cómo buscas la hembra en mitad de los campos...
¡Qué clarines derramas sobre las ascuas puras
de tu celo salvaje, en arrancada densa!

Toro mejor que tierra, porque ya está en el toro.
Mejor que aquellos ebrios que a morir lo arreba-
[tan.
¡Manadas de bramidos, lloved junto a la noche
y que los toros salten por libérrimas sierras!

CARMEN CONDE

(De *Mi fin el viento*, Madrid 1947, Colección
Adonais.)

ÚLTIMA SOLEDAD

*A Miguel Hernández, compañero
del alma, compañero...*

DIGO: «Morir es bueno compañero»
y me entrego a vivir como es posible,
extravagando a secas, apagando
las altivas luciérnagas que obligan
al dulce parpadeo de la luna
vestido de Pierrot como en los tiempos
felices del can-can y de la pana
honrada o conteniendo entre sollozos
el tiempo que se va de entre las manos
con un sudor caliente y pegajoso
de zumo de naranja azucarada.

Miro miramos el vacío.
              Somos
vacío. Estamos llenos de letal vacío.
Nos tocamos el vientre y resonamos
lúgubres y contentos, así el hombre
pequeño y asombrado de las selvas
del caimán pantanoso.
              Que está escrito
que hayamos de vivir como es posible
sin faltar a las reglas aunque alegres
y rendidos por el don de los dientes

y la paternidad de las escobas
símbolo de pureza de las almas.

Lo triste es ir viviendo como el que hace
un cesto y ciento y tiene miedo
de acabar el manojo de los mimbres
que le son destinados
                    o el que mira
correr el agua oscura de los charcos
hacia la gran cloaca y se corona
de rosas de papel y canta y ama
bajo el dosel de un cielo que no entiende.

«Morir es bueno compañero», digo
y me entrego a vivir...

VICTORIANO CRÉMER

MIGUEL HERNANDEZ

LA palabra cogida entre papeles
con manchas inequívocas de sangre,
pesando sobre el ánimo
como la piedra sobre el agua,
como la hoz entre la siembra,
abriéndose camino
incendiando nuestras palabras
como la cerilla al pajar,
purificando el aire
como la lluvia en descampado,
anunciando la vida
como el polen bajo los pinos,
como las miradas que estrechan
igual que brazos las cinturas;
la palabra desde los dientes,
a partir de la lengua, del pozo,
de la pared a cal y canto
trabada; los poemas
como banderas, como lechos
para crear, como señales
para creer, como maduras
credenciales de cuanto vive
y ni el aire ni el fuego, ni la tierra,
ni la terrestre
mano airada destruyen:
Las palabras que nos esperan
en pie.

Palabras duras, ásperas,
rodeadas de rejos, vibraciones,
vuelos solares y nocturnos,
y asentadas
sobre la piedra y, sin embargo, encintas
de miel y cera para arder.
Tus palabras, que ya son nuestras.
Nuestras palabras, que nos hurtas.

ÁNGEL CRESPO

(En *Insula*, N.º 168, Madrid, noviembre 1960.)

EL HIJO DE LA TIERRA
(Palabras a Miguel Hernández)

QUIZÁ sea ya tarde para buscar tu sombra,
para acostar mis voces a tu lecho de tierra
y reclamarte ahora... Quizá sea ya tarde,
Miguel, para buscarte con mi dolor mordido,
con esta sensación de impotencia amasada
en la artesa fortísima que endureció estos años.

Tal vez no sea tiempo sino para callarnos,
para poner la venda en los ojos atónitos
y declararnos ciegos. ¡Oh dolor enconado
del alma que trasciende y grita sus heridas,
amordazado cáncer que nos roe por dentro
y tenemos vergüenza de expresar como hombres!

Sí... Tarde para todo...
Para salvar el cuerpo, que aún nos puja
en ansia incontenible de libertad y vida;
para lavar el alma y limpiarla del odio,
del lastre y el rencor que nos somuerden.

Acaso sea tarde, terriblemente tarde,
para entregarse vivo, muerto como tú estás,
vencido como tú nunca pudiste serlo,
llorando este fracaso de una vida,
esta felicidad en que a veces naufrago.

93

Sí... Demasiado tarde para amar, para hallarme
en el gozo fecundo que se cuaja en los hijos:
los hijos de mi carne y de mi sangre o estos
que desparramo al viento más efímero.

Aún moriste en la hoguera, en la onda crepi-
[tante;
aún retorciste el alma como un sarmiento seco
que crujiente restalla al encenderse en brasa.
Aún cantaste en la muerte
y salvaste tu voz definitiva:
el silencio engendrado de ti mismo
que en terrenal pureza te ahincaba.

Nada perdiste... Todo
lo que estaba en tu canto: frugal tierra de España,
soñada primavera de amores y de pájaros,
sigue sobre tu tumba. Prometido en mañana
si hoy se nos ha negado.

Sobre el humus sangriento que alimentan tus
[huesos,
Miguel, sobre los campos que soñaste fecundos,
rueda viva y lozana —lento, seguro germen—
la encendida armonía de tus versos.

José Domingo

(En *Papeles de Son Armadans*, N.º LXI, Palma
de Mallorca, abril 1961.)

A MIGUEL HERNANDEZ

EN cambio, tú, Miguel, surco de sangre,
abrazo de la rosa y la tormenta,
supiste cómo muere siempre el hombre
cuando lo mata su raíz eterna.

Tú eras más que raíz: un nervio vivo
dentro del mismo cuerpo de la tierra.
Y una palpitación que resbalaba
desde la mina hasta las estrellas.

Tu cuerpo breve lo encerraba todo:
albas, ponientes, júbilos y penas.
Y tu voz poderosa lo cantaba
estremeciendo el árbol de la lengua.

Arrebatado labrador del aire,
soplo de luz, unánime marea,
creciste con la plenitud gratísima
del músculo que rompe su cadena.

Más cada día, más nos regalabas
esparciendo a los vientos tus poemas.
Más dijiste del pájaro o del hombre,
sí, más que nadie: dulce sangre en guerra.

Era tu corazón mayor que el mundo.
La vida en tu cantar se fundamenta.
No fuiste como espejo dilatado,
sino como vivísima conciencia.

Clara pasión del hombre te subía
hasta lo eterno desde la trinchera.
Lo delicado, lo viril juntaban
en tu cántico toda diferencia.

Porque igual modelaba tu garganta
llantos de niños y furor de fieras,
crecimiento de plantas y de astros,
vida que surge, muerte que se aleja.

Y de amargores y mieles derramados
eran música diaria de tus venas:
oh júbilo de muerte, oh luz oscura,
oh centauro de bronce y azucena.

VENTURA DORESTE

(En *Asomante*, San Juan de Puerto Rico, enero-
marzo 1953.)

HERIDO ESTOY

COMO una ola de amor, furiosa y fuerte,
en salitre y en sangre estoy contigo
y me duelen los labios cuando digo
tu nombre por la calle de la Muerte.

Aún queda mucho amor por conocerte
y tu piedra de luz buscando sigo;
la sombra de tu voz está conmigo
y espero que un balido te despierte.

Cuando digo Miguel digo raíces,
digo un largo dolor de despedida,
digo sudor y luz, tierra pisada.

Yo sé que me hablas tú, sé lo que dices.
Me cruza el corazón toda la herida.
Herido estoy mortal de tu pedrada.

JULIO ALFREDO EGEA

(De *Piel de toro*, Granada 1965, Colección Veleta
al Sur.)

CANTÁBRICA ELEGÍA
PARA MIGUEL HERNÁNDEZ

VINISTE de cerrados manantiales, de lunas en
                              [proceso de amapolas,
allí la nieve, el fuego, las doncellas conversaban tu
                              [paso de relámpago,
el aire visceral erguido en lámparas,
en socavón de sangre, en rompeola de toro hura-
y dentellada de claroscura eternidad.   [canado
¡Ay Miguel de la sangre y de los cencerros!
Campanada vinícola. Ciudadela de olivos y man-
                              [zanas
cantando a puñados de sueños, a guarnición me-
                              [teórica
y saetas y garzas de marineros ángeles varones.
Pastor de los granados, del amor en los cuencos
                              [de la púrpura.
De soledad y estío fuiste alondra. Recental del
                              [terror enamorado,
guerrillero de Dios y sus falanges,
caballero de España azafranada.

Un sino de penar, un viudo sauce, un festival
                              [de trágica simiente,
jornalero del rayo y del romance,
ruiseñor de carbunclo y terciopelo,

98

te dieron ese impulso a contramuerte,
te dieron ese numen de baluarte
que avanza recogiendo vendavales, sustancias de
[agridulces arrecifes
donde el amor se sufre en cuerpo y alma,
donde el amor penetra a manotazos, a embestidas
[de luz se empoza y nos redobla.

Estoy hablando con tus propios nervios,
en el cerrado aroma de tu boca
y siento tu zarpazo entre mis versos
y tu sangre me tensa la palabra.
Miguel se llama ahora la elegía, Hernández la
[violenta marejada
que en espumas cantábricas se obstina.
España del furor ferruginoso,
España de la brava contextura
y el rostro y corazón barbicerrado.

En ti lluviosamente Garcilaso preservado del pol-
[vo y la carcoma.
En ti región de alhaja gongorina
esmaltada de fósforo y centella.

Abro tu corazón en orihuela, en oriflama de pasión
y saltan herramientas de infinito,   [colmado
labios que asedian las cavilaciones, frentes que
[hienden el turbión del mundo,
ojos yunteros de dolor perlados, fraguas de enci-
[nas y roquedal de furia:
calcio de España.

Miguel de tempestuosas caracolas,
se me escapa la voz y se fermenta,
se me enluta la mano, se amarilla,

al conocer la cárcel del relámpago, al escuchar tu
[guerra cercenada.

¡Miguel, barro celeste, inquietud de cuchillos y
[amapolas!
Capitán escarlata de los sueños volcados
en un vaso de amor articulado.

Lenguas de pasionarias desde tu muerte suben,
el alfabeto busca tu linaje,
araña el aire, zumba sus pinares
y sus raíces te hablan en la tierra,
hablan a tu mortaja enamorada,
¡quiere tu voz de ronco itinerario, tu caudalosa
[fuente de ternuras,
tu colectivo acento de fusiles!
¡Ay rama del idioma en adanía, hortelano de vides
tumulto de leonados corazones   [y centellas,
y fúnebres arcángeles de aceite!
Pararrayo dulcísimo de sangre, Miguel, jazmín
entre la red y aliento de herrerías.   [atribulado
¡Ceñudo arpón en tirso transformado, luminaria
[de amor y rompeolas!

HORACIO ESPINOSA ALTAMIRO

HABLO DE MIGUEL

UN día, la garganta fue vertida de fuego
y hubo que cantar con la mirada turbia.

La luz era tan virgen
que se llenó de nieve aquella tarde
y Miguel se reía del águila,
de los secretos pájaros que cruzaban sus campos.
Pero un día, la garganta fue cercenada dulcemente
y no podía cantarse más que haciéndose sangre
(como aquella sangre de montaña de Miguel
que cubrió sus ganados,
el vientre de la esposa,
el aire que se escapa por un rincón de España.)
En un solo día
con los niños que iban a pudrirse bajo las trin-
(Así me lo decían los amigos,   [cheras.
en un solo día
más negro que odio oculto).

Miguel sudaba venturoso y cortaba su pan
y mordía las yemas y eso le bastaba,
cuando algo se levantó de pronto, quizás un mar-
o un tigre, o una espina,   [tillo,
y Miguel empezó a morirse entre las cordilleras
y a dolerle el cuerpo como broza profunda
y aquella cicatriz de cuando le arrancaron

cual fruto de la tierra.
Y esto que se alzaba era un pleamar de frentes
hollando madreselvas,
y esto que se erguía era una roca
dentro de la sangre de montaña de Miguel.
Por eso ha cesado aquel rayo
que inaugura hoy los lutos,
porque Miguel golpeaba fieramente esa roca
y se le va la vida de dolor por el valle.

Ahora, traer un nudo que le guarde una vena,
un lienzo para enjugar su boca,
una tierra más honda que las minas
para él, que acarició los filos
de la espada del pueblo
y entregarle también unos ojos tranquilos
donde beba los cielos
para que pueda morirse con su puro cuerpo de
[barro
en donde han florecido margaritas silvestres.

MIGUEL FERNÁNDEZ

102

PRIMERA ELEGÍA

HIJO de España, hombre caluroso,
vas por Castilla, con tu pecho alegre
donde tantas muchachas se recrean.

Con campanas azules va tu nombre
esparciendo campiñas, frutas, sueños
y en un racimo, de uvas familiares
dejas tu corazón en los mercados.

Te llaman Miguel y eras de cielo
eras de viento un nubarrón de versos:
de alondras en tu piel eran tus cantos.

Miguel de vientos claros y de fuentes.

¿De qué tierras azules has llegado?
Ven hasta mí, pastor de espiga y sueño.
Y cuando el viento mueva los rosales
dime, Miguel, que ha muerto la tristeza.

Dime que ya florecen los granados
que hay montes de pinares bajo el viento
y que la vida rueda como un verso
hecho de ríos, de praderas verdes.
Dime, Miguel, que reina la belleza
bajo la tierra y en los dulces campos.

ANTONIO FERNÁNDEZ SPENCER

(En *Agora*, N.º 22, Madrid, mayo 1953.)

MIGUEL HERNANDEZ

AQUÍ fue un hombre, vertical, erguido,
con pájaros y espigas en la frente.
Aquí fue una garganta, un grito hiriente,
un corazón de ciervo perseguido.

Aquí fue un pecho helado y destruido
por viento duro y afilado diente;
un surtidor de sangre, tan caliente
que aun sigue, fuerte y rojo, su latido.

Vivió a lo macho, a lo español, en tierra
sagrada y pobre. Comió pan amargo.
Cayó cantando. No murió del todo.

Mirad: por este suelo que lo encierra
—si el cielo es negro y el dolor es largo—
su verso corre y purifica el lodo.

ÁNGELA FIGUERA

DE LA INFANCIA

¡MAS hermoso que tú, ni la noche con la luna!
Melancólicamente,
te renace mi frente,
pastor de la palabra; pastor desde la cuna.

Aprendiste a leer al son de las estrellas.
Y aprendiste primero
que a leer, que un cabrero
está en la intersección de la tierra con ellas.

Ya te veo pisando la hierba humedecida.
Y veo a tu navaja
cortar una rodaja
de pan, junto a la esquila por ti más preferida.

(Tu navaja con hoja de atardecer y aurora:
aquel delgado hilo,
aquel perfecto filo,
que habría de cortar luego el verso, a su hora.)

Ordeñando las ubres, Miguel, también te veo.
Y después de medirla,
te veo repartirla,
y bebiendo esa leche a Orihuela entreveo.

A Orihuela, repleta de sol y de bancales
en su circunferencia,

lo mismo que mi Plencia
lo está de mar y de redes, a soles desiguales.

A Orihuela, ciudad por dentro obispado:
ciudad siempre con gente
mirando indiferente
tu porvenir por balconajes y empedrado.

...Y te veo volver a escuchar lo que el viento
distribuye a las flores:
noticias de labores
de la tierra, noticias de afán sufrimiento.

Y veo que se pone tu frente aún más morena,
de puro pensativa,
y cómo desde arriba
—de tu cielo— la bajas a la tierra con pena.

Hacia esa tierra en donde hortelano y yuntero
y falda espigadora
tras la hoz segadora,
sólo en sus apellidos difieren de un cabrero.

...A la tierra, hecha ya tu aula de verdades,
tu riguroso sueño,
¡dulce pastor: pequeño
Miguel! ¡Miguel de las primeras soledades!

José Luis Gallego

(*Indice*, N.º 28, Madrid, abril, 1950.)

AUTO DE FE
(Primera lectura de Miguel Hernández)

DESDE esta luz se ve la luz. Esplende
desde el papel, que es la verdad. Y asiste,
con su mano de pan, la claridad,
otro color.
             Ved una torre.
Mirad estas palomas y estos mares
—otro ritmo de alas, no lo común del mar—,
este cincel con playas, los naranjos
que esculpen, nuevo, el oro.
La voz pura y mollar de lo más bello.
Y este temblor, impar, que alza la tarde
sobre el libro.
               ¿Quién es?
               Qué importa
ahora. Un hombre es quien me vive
dentro de mí, leyendo.
                       Oíd, canta la noche
sobre su tacto. Anduvo aire en palmeras.
Y hoy manda —¡Ah!, la verdad— su corazón,
su brazo nunca opaco u oscuro.
Y en él, la quemadura —como a la res
el hierro— se hace marca en mi ojo.
Y es su palabra, que nunca cesa, un rayo.
Y es testamento de una flor su vida.

ÁNGEL GARCÍA LÓPEZ

BAJO UNA LARGA SABANA SOMBRÍA

CUANDO más corre el viento por la Tierra,
cuando más se atropella por el día
y por la noche más se desespera
golpeando las puertas y ventanas
con su ronco gemir y desconsuelo,
pusieron bajo tierra una figura
de rostro consumido, tan serena
como un lento crepúsculo de estío.
La pusieron debajo. La taparon
con una larga sábana sombría.
La dejaron allí, la abandonaron
ya que le habían quitado la agonía,
la esposa, el hijo tierno, los caminos,
la libertad, la joven alegría,
los latidos del pecho, la palabra,
el pueblo doloroso a quien quería,
el dosel de las nubes, la fragancia
de los montes volando con la brisa,
los sudores del cuerpo enamorado,
la mirada profunda y extendida,
la generosidad desparramada,
los clamorosos labios de su herida,
su vocación de hermano de su hermano,
lo que pudo haber sido: la ancha vida
que no pudo vivir, que le arrancaron
para dejarlo inmensamente muerto,

muerto por siempre en esta tierra fría.
Y corre el viento en este fin de marzo,
azota las paredes y las tumbas,
las campanas sin lengua, las campanas
que no se han conmovido, que enmudecen
en la altura, más cerca de este cielo
que ni siquiera llueve su tristeza.
Y corre el viento, aúlla como un perro,
suelta sus patas, dice por el campo
una larga palabra desvalida.
Y no contesta nadie este gemido
por lo que nos quitaron, y desnudo
quedó sin sueños, como no nacido.
Y este perro rabioso, con la lengua
lamiendo los barbechos apagados,
se cansa, vuelve allí, donde descansa
quien nunca se cansó de ser tan nuestro.
Se tiende en esta tumba, se detiene,
muerde la tierra, deja que el silencio
extienda su mortaja.
Y todo queda en soledad, se apaga.
Sólo clama el recuerdo.

GABRIEL GARCÍA NAREZO

A UN POETA MUERTO

ERAS carne de abril y sementera
predestinada a muerte que se canta;
eras tierra inicial, tierra que aguanta
la flor sobre sus recios hombros. Era

tu cara de color; de tan entera,
era tu boca espiga que levanta
su amenaza de pan; en tu garganta
aurora al ruiseñor daba la fiera.

Has nacido a la muerte más callada,
tú que a diario morías lentamente,
con tu equipaje de alas y de lodo.

Señor del sustantivo y de la arada,
hoy eres ya de tierra solamente
y solamente tú lo sabes todo.

JOSÉ GARCÍA NIETO

(De *Poesía: 1940-1943*, Madrid, 1944, Ediciones
Garcilaso.)

A MIGUEL HERNANDEZ

I

TU ronca voz de cisne, caracola
sangrando mar sin mar; tu voz de trigo,
morena de bancal, alta de amigo,
bandera arracimada y amapola;

tu voz, Miguel, me llega ola tras ola
insomne y sin cesar; tu voz que sigo
oyendo al fondo del ayer, testigo
de tanto andar y tanta patria sola.

Tu voz, Miguel, calando mis sembrados,
enjambrada en el tallo de la espiga,
en la reja viril de los arados.

Tu voz de carne mis adentros suena,
y no sé si la calle o si la diga,
por no dar parte a nadie de mi pena.

II

La tierra se hizo verso en ti, la tierra
maternal y fecunda y sin pecado,
el haza paridora, a la que has dado
lo que era barro, campo de tu guerra

de hombre que no cesa, buen soldado,
capitán de azahares. Verso y cierra
España y tú, Miguel; sí, nunca yerra
la cordial pesadumbre del costado.

Tu muerte ya da verso en los caminos,
y migueles por los palmerales,
y hay más sol en el verbo de los vinos

que cuecen las bodegas interiores,
y han ganado más sangre los metales,
y está el pan más lucido de sabores.

III

¿Qué te voy a decir, Miguel hermano,
tú, Miguel benjamín de los Migueles
—Unamuno, Cervantes—? ¡Cómo dueles
en esta luz de Viernes Santo! ¡Cano

te viste el corazón, y era temprano
por tu sien pajarera! ¡Qué bien mueles
con ausencia esperanzas! Y más hueles
en la palabra que plantó tu mano

ladera eterna de la poesía.
Miguel: estoy aquí. Bebo Orihuela,
el hortelano verso y profecía

en que hiciste Historia. Miro y hallo
en el telar del verbo mucha tela
que cortar, gran Miguel... Pero me callo.

RAMÓN DE GARCIASOL

(En *Estaciones*, N.º 15, México 1959.)

A MIGUEL HERNANDEZ

HOY otra vez has muerto.
¿Cuántas veces has muerto?
Mi corazón asume
tus múltiples cadáveres
como granos de un trigo luminoso,
pan que se anuncia por el alba.

A veces caes en Chile, en Palestina
en Viet-Nam...
A veces te nos mueres —como entonces—
entre los muros nuestros,
prisión fría o relámpago.

Te llamas Pedro, a veces,
o Xohan, o Txikis o Jaume...

Un día —habías cambiado tu cayado
por los libros de texto,
tus ojos por dos gotas
de azul adolescente—
morías en Madrid con el nombre de Enrique.

Ayer te llamabas Salvador,
mañana...

Tú, como Pablo, llevas el nombre del que muere
con un ramo de luz en cada mano.

Miguel, inacabable arcángel,
tus alas sucesivas se reparten
en un inmenso vuelo,
caen abatidas, se levantan
como un gran resplandor
que transfigura
la noche.

Porque —tú lo dijiste— siempre
habrá un rayo de sol
para vencer las sombras.

ANGELINA GATELL

MIGUEL HERNANDEZ

«...Y siento más tu muerte que mi vida»
(MIGUEL HERNÁNDEZ)

A estos cielos que escuchan hoy tu nombre
entre la angustia de mis labios lentos,
a estos campos que tú hubieras alzado
hasta el milagro de tu voz abierta
para amarlos, cantarlos y entregarlos,
a esta tarde redonda de hermosura,
quiero, Miguel, venir, con tu memoria.
Aquí te siento bien; tengo tu pulso
y aguardo con la luz tus ojos tristes.
Olvido, con tu nombre y tu presencia
clavados dulcemente en el recuerdo,
tu tremendo dolor y tu agonía
para encontrarte fresco sobre el agua,
limpio sobre el silencio de los campos
y en la luz y en el poema compañero.

Te llevo por el campo, dolorido
mi pecho de tu ausencia y tu llamada,
y no puedo pensarte terminado,
tus limpios ojos quietos para siempre.
Tierno y duro pastor del otro día
soñando por las huertas de Orihuela
una luz incesante y manadora
que te anegaba el corazón insigne;
alegrando el color del Manzanares
con tu blanca camisa, tus abarcas
y un ardor contenido de Levante;
cantando entre los tiros del Jarama
la canción española de la guerra.

No has muerto, que te han muerto entre unos
asesinado el vuelo de tus pájaros,   [muros
la voz de tu garganta amordazando.
Derribada hermosura sin remedio,
irremediable muerte a la palabra
tan lejos de mi sangre y de mi aliento.
Aguárdame, Miguel, en nuestra tierra,
en la quietud forzosa de tus labios,
en la clara verdad de tu silencio
que hace temblar tu cielo con promesas
de una canción bajando hasta los hombres.
¡Que su turbia conciencia se deshaga
con tu sangre indeleble, con tu rayo!
Y de albas y de auroras nos incendie
la pasión de tu carne ya cumplida.
Como te alza hoy mi pecho a la ternura
y a la honda memoria que te guardo,
quiera la tierra nuestra, que tú sembraste
con la dulce semilla de tu nombre,

cumplir con la mañana su jornada
y subirte algún día hasta su gloria.
Miguel de hierba, fuego y alma sólo,
hermano muerto en esta viva muerte:
tú empujas con tu sangre y con tu ejemplo
el limpio amanecer de la esperanza.

FRANCISCO GINER DE LOS RÍOS

(En *Panorama de la poesía moderna española*
de Enrique Azcoaga, Buenos Aires, 1953, Editorial Periplo.)

HISTORIA CONOCIDA

HACE tiempo hubo un hombre, entre nosotros,
alegre, iluminado,
que amó, vivió y cantaba hasta la muerte,
libre como los pájaros.

Es una historia conocida, amigos,
todos la recordamos;
—Viento del pueblo, se perdió en el pueblo—
pero no ha terminado.

¡Qué bonito sería! Nace, escribe
muere desamparado.
Se estudian sus poemas, se le cita,
y a otra cosa, muchachos.

Pero su nombre continúa, sigue,
como nosotros, esperando,
el día que este asunto, y otros muchos,
se den por terminados.

JOSÉ AGUSTÍN GOYTISOLO

(De *Claridad*, Valencia, 1960, Ediciones de la
Diputación de Valencia.)

ME LLAMO BARRO AUNQUE MIGUEL
ME LLAME

ERES barro, Miguel, tú lo decías,
barro del que salpica y alimenta.

Para encontrarte voy, como cosa segura, rodean-
                                    [do a las plantas
más silvestres, escalando los árboles
de venas acusadas que se ofrecen más fácil al co-
                                    [loquio.
No lo dudo, Miguel, que estarás donde
siempre,
templando tu garganta o escribiendo el poema del
                                    [relevo.
No me puedes faltar, tu sangre es ésa.

Cuando a veces, me ocurre con frecuencia, te
por tu nombre   [llamo
y paseo tu sombra a mi derecha,
mi voz se robustece, se viste de otra forma, con
                                    [más brío,
con más aire de guerra sin metralla.

En esta tarde fría de agosto siendo junio,
que siento más que nunca tu piel junto a la mía,
con toda dentadura mordiéndote la muerte,
y descalzo y soñando, volcánico y amargo,
a ciegas voy a ti por los campos de España.

Pulcramente vestido, pulcramente desnudo, be-
                              [biendo en todo charco
que florecen tus ramas,
andando y desandando los caminos más anchos,
los caminos más pobres,
que agonizan de sed y no de olvido.

Humildes campesinos, pobladores de España
—volcánicos titanes de tristeza—, sois el árbol sen-
                              [cillo
que da sombra a la tierra, un río caudaloso
de simiente y de sudor que no se agota.
Es vuestro, sólo vuestro,
el idioma del cobre y de la azada.
   Tú, Miguel, el pedazo de tierra que es más tierra,
el pastor-ruiseñor de los ojos febriles,
con la lengua abrasada de blasfemias azules,
cantabas a tu pueblo —nuestro pueblo— y a las
                              [hoces y los juncos,
y tu voz de agua limpia —espasmo incontrolable—
con semilla indomable iba sembrando
los prados de la España verdadera.

Como una campanada que eternizó a la noche
te fuiste,
como un hombre, por veredas muy tristes,
cargado con los huesos y la sangre
de muertos que aún te duelen.

   Todos ellos, de invierno o de verano,
vitales o caducos, tenían su corona de agonía
y un puesto prodigioso en las luces del alba.

Agredidos los ojos por la lluvia descansarán tus
dientes sobre el barro.
Pedirás nueva forma de delirio para seguir can-
                                            [tando,
para seguir surgiendo de la tierra y del lodo,
que a golpe de martillo, resonando a cosecha arro-
llegará a nuevos puertos   [lladora,
con un ritmo de abril eternizado.

Miguel de la ciudad y de la espiga,
del pequeño barbecho y del surco más grande,
cuando vayas perdido por las nubes, sin encon-
entre los muertos,   [trarte a gusto
no escarbes más adentro, escarba hacia la tierra,
que aquí estamos nosotros, pisoteando lágrimas,
ardiendo entre las llamas que nos legó tu muerte.

                                    LUCIANO GRACIA

(De *Hablan los días*, Zaragoza 1969, Editorial
Javalambre.)

SENTIMIENTO DE MIGUEL HERNÁNDEZ

I

PARA amaneceres de mucho sol
Construía sus miradas el poeta
Con aquellos ojos que tanto le mareaban
Al ser hijo de colinas y vivir en la ciudad.

De allí venía, de las tierras suaves de Levante,
Pastor de humareda y de follaje,
Caminero de nubes y de nidos,
Voz forestal que el mar tanto acuñara.

Mucho soñaba en los rebaños,
En las ovejas de silencio ante él vivas,
Y es que sabía hablar con paciencia
En diálogos de llamas y de alas.
El vuelo soleado manaba en su corazón,
Pero el fuego nacía en su pecho de maíz.

¿Cómo vivir sin palabras cancioneras
Aunque las calles no sean verdes ni bellas?

Para sobrepasar las sombras vagabundas
El paisaje se llena de ecos.
Es el pueblecillo o el horizonte
Embebecido entre las manos,

124

En los dedos soñadores que juegan
Y que tocan la flauta o sin color dibujan.

En acarreo de piedra y agua,
En colmenares de fe y pájaros,
Los ríos arrastran mil memorias
Para así vivir más acá de las penas.

II

La sangre afluye hacia el cuerpo claro del beso,
La sangre no se desarraiga de las sorpresas,
Y todo ocurre al fructificar la vida
Como la siembra en la flor de la temporada.

De pie, al borde de las praderas,
Acariciando con los ojos la hierba del cielo,
Un hombre que bebió leche de ensueños
Contemplaba en el eco su propio rostro,
Y tan absorto parecía, en la quietud blanca,
Que el paisaje se apropiaba de lo eterno.

Vida del poeta, clara, con las hogueras de co-
                                        [sechas,
Mientras la vida de todos, transparente y ruda,
Surca las horas como si fuese la reja del arado,
Horas en que la oveja pare y orienta su destino.

En las palabras de la memoria viaja la espe-
                                        [ranza,
Cada mirada, igual que la sangre, alza el amor,
Lo yergue hasta esas heredades en que la paloma

Mezcla con los gritos femeninos la savia en li-
[bertad.
Un árbol explica a los monstruos la edad de vivir.
Las hojas son arma, y los frutos, la ilusión.

Pastor o sonámbulo, despierto o pasionado,
El poeta sabe que la soledad aleja al porvenir.
En los campos de Levante todo obedece a la na-
[turaleza.
Un hombre cree vivir ante la vida espejeante.
Las venas del tiempo están aún enrojecidas.

III

Del sueño acuchillado brota la golondrina.
La muerte, inspiradora, se une a la canción.
Así, abandonando el prestigio de heroísmos,
La golondrina pudo volver a las colinas,
Allí donde el pastor de Alicante aguardaba.
El silencio sangra por ser yacimiento de nostalgia.

Y el ensueño, en la tumba, no para de sangrar.

JACINTO LUIS GUEREÑA

(En *Caballo de Fuego*, La Habana, noviembre
1961.)

A MIGUEL HERNÁNDEZ

ERA el don de sí mismo
Con arranque inocente,
La generosidad
Por exigencia y pulso
De aquel ser, criatura
De fuego — si no barro,
O ya vidrio con luz que lo traspasa.
Así, de claridades fervoroso,
Encuentra fatalmente su aliado
Más íntimo, más fiel
En ciertos cuerpos leves
¡Palabras! Signos muy reveladores
Van alumbrando un más allá, descubren
Un mundo fresco, gracia.
Este aprendiz perpetuo de las formas,
Pretéritas, actuales, ya futuras,
Es el fin absorbido
Por un grave tumulto
Que le arroja al extremo de su dádiva:

Mujer, el hijo, lucha. Lucha atroz,
Límite esperanzado.

Genial: amor, poema.
Español: cárcel, muerte.

JORGE GUILLÉN

(En *El Urogallo,* Año IV, N.º 24, Madrid, noviembre-diciembre 1973.)

ELEGÍA A LA MUERTE DE
MIGUEL HERNÁNDEZ

RAYO que no cesabas y has cesado,
compañero y Miguel, amigo mío,
hoy bajo los almendros terminado.

Sigo tu muerte en tanto escalofrío,
es puro ir por la tierra hasta la nada
y al palomar del aire y del rocío.

De la mano del agua enamorada
río te vas hasta la mar, y al cabo
tanto correr para la mar salada,

tanto correr de trigo a trigo, esclavo
de esa difícil soledad tremenda
de tener en el alma un toro bravo,

y confiar que este toro nos comprenda,
pero aguardar también una cornada
y no esperar que nadie nos defienda

si no es con una nueva cuchillada.
Muerto tú, he de pensar que algunos días
pudo la muerte estar equivocada,

129

y que tal vez, ya muerto, encontrarías
cielo bastante y tierra suficiente
para llenar tus órbitas vacías,

y germinar los campos de tu frente
con todo el corazón hecho sonido
como el mundo y Miguel de tanta gente.

Todo el horror del aire se ha vertido
sobre toda la tierra y no te alcanza.
Tu sangre está ya dura y sin latido,

lista para el arado y la labranza.
Rosa o ciprés habré de conocerte.
¿Quién te ha de regresar a la esperanza?

Te otorgaste al pasado y a la muerte
y no hay vida posible que te ceda
ni calor donde hablarte y donde verte.

¡Cómo queda en el aire, cómo queda
tu pulso de caballos desbocados
buscándole al galope polvareda!

¿En qué esquina feliz de los sembrados
todo el trigo del mundo se arrodilla
y acompaña tus dedos confiados?

¿De qué árbol serás blanda semilla,
de qué campos y campos levadura
si son breves los campos de Castilla?

¡Oh duro abrazo de tu muerte dura,
tenso volumen de tu paz en vano

ceñida al ademán de tu cintura!

¿Quién te hallará temprano y más temprano,
contorno de tu carne abandonada
hecha presentimiento castellano?

¿Cómo llorar tu muerte en tanta nada,
ácida soledad de soledades
en el recuerdo toda rescatada,

buscándole a la tierra inmensidades,
bebiéndole las alas a tu aliento
de ríos y montañas y ciudades?

No adivino tu boda con el viento,
lívido azar al que mi voz no alcanza
ni consigue alcanzar mi pensamiento.

¡Cómo te tarda tanto tu tardanza
y cómo dañan de terror tus daños
en el dulce solar de la esperanza!

¡Qué corto territorio hay en tus años
para ampliarte la sangre con estrellas
y contar uno a uno tus tamaños

descontando ciudades y doncellas,
pálido el corazón y sin objeto
para hallarte mejor bajo tus huellas!

No hay ya tiempo imposible en tu soneto
que me entorne las manos sobre el río
como entorna la tierra tu secreto.

No hay límite de amor en el vacío,
si hondo en los caminos te partiste,
si alto en el rencor eras estío.

Si luz cegaste y por ceguera viste
en el bosque sin árbol de la aurora,
en la sangre que helaba y que no fuiste.

¿Por qué vena de tierra vas ahora
que hasta el ir de la tierra te persigue
y te muerde la mano hasta que llora...;

en qué luz o en qué niebla que te obligue
a ser polvo de álamos y encinas,
a ser aire que en flores se fatigue?

Arcángeles sin vuelo en las esquinas
le cuentan a la noche tu aventura
y se quedan sin rosa las espinas.

¡Oh ese niño aromado a tu clausura,
con los ojos sin tiempo y sin canciones
y la noche doliendo en la figura!

¡Cómo vieron tu muerte los balcones
y contaron tus pasos las aceras
cuando el alba quedó sin estaciones!

Yo no quiero, no quiero que te mueras,
si el estío te llama y yo te llamo,
si hay vida por cavar en las canteras.

¿Cómo dar en tu muerte tramo a tramo
si está en vilo de amor tu compañía

de tu sangre en silencio y ya sin amo?

¡Quién fuera tierra y te buscara un día
en el húmedo albor de la mañana
y te hallase latiendo todavía!

¡Y te diera la sangre a tu desgana,
y te diera las alas a tu vuelo,
hoy pájaro sin rosa en tu ventana,
adiós sin ademán y sin pañuelo!

FERNANDO GUTIÉRREZ

(En *Panorama de la poesía moderna española*
de Enrique Azcoaga, Buenos Aires, 1953, Editorial Periplo.)

A MIGUEL HERNÁNDEZ

DE lo que el río lento se tragó
queda el recuerdo
la explosión dolorida
el mármol negro
acero verde
o tiempo endurecido
que da el hosco alumbrar del genio muerto.

Hirió un juez de uña de oro
la semilla
del horizonte mudo
reflejado en violentos lodazales
y como el mal
fosfórico al formar hiel con el miedo.

La noche lo abatió como a un crepúsculo
contra un muro de arañas y de sombras.

Hizo frío al morir Miguel Hernández.

JOSÉ HERRERA PETERE

(De *El Incendio*, París, 1973, Éditions Guy Chambelland.)

SI YO SUPIERA...

> *«Le señalaron aún muerto*
> *por ser lo que había sido,*
> *aquel labrador furtivo*
> *que sembró de amor un cuerpo.»* (V.I.)

SI yo supiera dónde
tu lecho de palomas fugitivas
o tu rencor sonoro se ha perdido
buscaría llorando entre las piedras
ese olvido de ti que es tu presencia.

Porque la noche nada sabe de tu nombre
(tú que tenías azucenas porosas en el alma
y recogías estrellas doloridas con los ojos
con tus ojos de trigo detenido
sobre la mancha oscura que llamabas tierra)
no sabe nada nada nada
y tú sigues muriendo como entonces
con toda tu desesperación cogida entre los dedos
y el labio prisionero en otra boca.

Pero tú vives ahora en una noche larga
donde el amor es sólo la materia de tu ahogo
(eras un labrador de cien-amigos
el esposo directo de la tierra
y llevabas colgado de tus sienes

135

ese furor de viento dominado
esa dulcísima espiga desgranada
que se hizo fruto verde en el dominio pavoroso de
[tu canto)
y te pareces a una duda perseguida
que quisiera de pronto ser un hombre
y liberar ese rebaño de toros congregados en tu
[pecho.

Yo no sé dónde dónde
reposa tu cadáver cristalino
dónde tu corazón de sangre que crece hacia la
dónde tu parecer de vivo reclamando   [tierra
dónde el dolor de tanta muerte preparada.

Pero recuerdo tu aurora decisiva
tu germinante poema desnatado
y esa pasión del aire que lucha entre los dientes.
    Y dónde dónde?
    y dónde buscar el luto de tu especie?
    y dónde poner tu llanto de metales?
    dónde decir MIGUEL y decir vida?

VÍCTOR INFANTES DE MIGUEL

CARTA A MIGUEL HERNÁNDEZ

ESPERO que te lleguen, Miguel,
                    mis primeras palabras.
Espero que recibas esta carta
a través de tus ojos y tu niebla.
Espero, que ese ángel cartero te sonría,
que te dé el sobre azul de mi esperanza
y le recites a tus ángeles amigos. Tus ángeles
aceituneros, los de las acequias, los de la saliva
                              [tan recia que
cuaja en los labios como nieve de huerto. Miguel,
¡tus ángeles!, los de la miseria
y las patrias heladas; los que siempre miran al
con recelo; los ángeles   [cielo
de alas tan transparentes y tan ciertas
como la vida.

            Espero me dediques la sonrisa de tu
detrás de esa cortina   [llanto
            de estrellas que te cubre
y, con un poco de suerte,
descuelgues tus manos de su gozo
para azotarme el pelo con tu cierzo.
            Miguel,
te presiento cargado de infinitas plumas,
de aprendidos recuerdos e ilusiones.
De sobra sabes que no te he conocido
aunque ahora te vea
            después de tanta trilla,

de tanta gente —¿amiga?—
como te pregona a diario.
A lo mejor te pregonan porque estás muerto
o porque el pecho revienta con las dalias
o porque acaso exista la sinceridad en este mundo
o porque huelan
a romero y a trigo: las reliquias
que apenas nos dejaste.
Ahora dime, Miguel,
¿te subiste allá arriba con tu sed y tu angustia
para hacernos señales con tu rito de auroras
hasta caer de bruces
de nuevo por tus brazos? ¿Sabes —y claro que lo
que fuiste el mejor de tus amigos?   [sabes—
                    Miguel,
sé que te duermes en tus manos cada noche,
que piensas en la miel y en las abejas,
y en tiros de fusil
                    que a veces hieren.
Muerto a destiempo; muerto
por cárceles oscuras, con cerrojos inútiles para la
                                    [luz, Miguel,
porque la luz —¡Oh, siempre la luz!— al fin
desorienta y se salva.
Sé,
que con tu lluvia y tus cosas
amabas a España como nadie:
con tu romero en mano,
con tu dolor abundante por la vida,
con tu cayado absorto entre la lengua,
con las pulgas corriendo tus espaldas.
Miguel, me es triste
dejarte ahí, si no tan olvidado, tan lejos de tu ho-
resultan tristes,   [gar y tus trincheras;

desde mis pasos
hasta el limpio pliegue de tu nueva sonrisa,
hasta el oro quemado de tu patria — de la mía
Miguel Hernández, de la mía—
                    Perdónanos
una vez más desde tu lecho
ahora que empieza a serte fácil.
Tu tierra aún es tu tierra; y aquel huerto
tu huerto; y aquella luz la tuya
para siempre en el hombre.

DIEGO JESÚS JIMÉNEZ

(De *La valija*, Bilbao, 1961.)

NOTICIA DE UN HOMBRE

A Miguel Hernández

«Fatiga tanto andar sobre la arena
descorazonadora de un desierto».
MIGUEL HERNÁNDEZ.

DICEN que era de barro
con luz en la mirada.
Sembró la flor del trigo
y recogió cizaña.
Quizás estaba escrito
y el Destino marcaba,
con signos de tristeza,
un camino sin agua.
No le valió el amor
ni el fuego de la entraña.
Ni siquera los versos,
su canto de esperanza.
Ahora, Miguel, ya tienes
tierra y pena enterrada.

CONCHA LAGOS

(De *Golpeando el silencio*, Caracas, 1961, Ed. Lírica Hispánica.)

A MIGUEL HERNANDEZ

Que salga del corazón
de los hombres jornaleros,
que antes de ser hombres son
y han sido niños yunteros.

MIGUEL HERNÁNDEZ: *El niño yuntero*

MIGUEL, tú eras un pastor
de zurrón y de navaja
que hasta el Jarama se baja
mientras oye el ruiseñor.

Hablabas con el zagal
que su mendrugo mordía,
y en tu corazón había
una sangre fraternal.

Iban meciendo los toros
sus melodiosos cencerros,
iban saltando los perros,
y el sol derritiendo oros.

Ibas tú desamparado
y huérfano vitalicio
aprendiendo el duro oficio
que luego te hizo soldado.

Por eso, cuando el fusil
te brotó en el hombro fiero
a pólvora y a romero
olía y a mes de abril.

Tú no saliste a matar,
tu gloria estaba en morir,
y a la hora de combatir
rompiste loco a cantar.

A cantar enardecido
de amor a España, de amor
al canto, pues ruiseñor
eras tú desde nacido.

Se empinaban los trigales
y los pinos campesinos,
y al borde de los caminos
daban su olor los jarales.

¡La guerra, llegó la guerra!
Por las tierras españolas
era sangre de amapolas
y de coraje la tierra.

Se asombraban las montañas
cada amanecer; tañía
por el dolor que sentía
el bronce en las espadañas.

Y en cada ocaso la gente
se volvía a la trinchera
como se guarda la fiera
de la noche y del relente.

Luchaban. ¿Cuál de los dos
era Caín o era Abel?
Como eran hijos de Dios
sólo lo sabía Él.

Y una mañana encontraron
a Miguel Hernández tieso;
sobre la frente de yeso
los versos que le quedaron.

Esos versos que a tirones,
empujando, golpeando
siguen cantando, cantando
en surcos y en corazones.

Miguel, porque tú no estás
se despueblan las aldeas,
van insomnes las ideas
pensando que volverás.

Algunos supervivientes
que fueron tus compañeros
van ansiosos, diligentes
tras nóminas y expedientes.
¡No fueron niños yunteros!

¡Pero los hay diferentes!

ÁNGEL LÁZARO

143

TU SOMBRA ESTABA ALLÍ

«...esposa de mi piel, gran trago de mi vida...
Espejo de mi carne, sustento de mis alas...»

MIGUEL HERNÁNDEZ: *Canción del esposo soldado*

DESDE la tarde aquella en que a tu casa
llegué en un tren lentísimo
con Manolo y Vicente,
estoy, Miguel del silbo y de la huerta,
en deuda permanente con tu sombra.

Era una tarde ilicitana, antigua,
con un viento de siglos
sobre los palmerales
y sopor agosteño.
Una tarde en que yo te descubría,
en que tu rayo me cegaba
camino de lo tuyo, lo que tuyo
fue y quedó ya desarbolado,
con tu recuerdo a solas, para siempre.

Mi corazón ardía por saberte
en aquella presencia,
esposa de tu piel, gran trago de tu vida,
espejo de tu carne que sustentó tus alas,
vida callada, Josefina oscura,
laboriosa de hilvanes y recuerdos.

144

Y allí llegué impaciente, temeroso,
la voz ahogada, el pulso detenido,
mientras Vicente golpeaba
la aldaba de esa puerta
que tú, Miguel ausente, no llegaste
jamás a abrir, que era la casa
de la viuda, una casa sin el árbol
enhiesto de tu sangre vertical.

Pero tu sombra estaba
allí, se nos aparecía
allí, la esposa del soldado
allí... Yo la miraba
y apenas si decía...

Te me mueres de casta y de sencilla,
le escribiste una vez.
Tú eres el alba, esposa,
otra vez le cantaste.
Y tantas, tantas veces, hasta aquella
nana estremecedora:
Una mujer morena
resuelta en luna...

Todo, todo tu canto
se me agolpó en las sienes. Nada oía.
Sólo tu canto oscuro
de amor y tierra cálida,
tu silbo enfurecido,
tu penar y tu muerte...

En permanente deuda con tu sombra
desde entonces estoy.
Y maldigo aquel rayo, aquella guerra

y aquella cárcel que taló tu vida
y taló la alegría de esa esposa
que laboriosamente pena
amargas, inauditas soledades.

JACINTO LÓPEZ GORGÉ

(De *Dios entre la niebla*, Salamanca, 1973, Colección Álamo.)

CARTA A MIGUEL HERNANDEZ

Al volver a ver a su hijo

MIGUEL: te escribo en este otoño, hacia
los dieciocho años de tu muerte;
te escribo porque acabo de mirarte
los ojos en tu hijo. De repente

te vi en sus ojos hoy. Retrocedía
el tiempo como retrocede
la luz en un espejo. En un espejo
me ha parecido verle

niño de entonces. Pero ya ha crecido
tanto como has crecido tú en la muerte.
Suma casi tu misma edad de tierra.
Tu estatura de muerto. Casi tiene

tus años de mudez. Se ha hecho tan alto
como tu ausencia. Tan de prisa crece
como tu soledad, como el silencio
que se acumula contra las paredes

que te cobijan. Él nos da la talla
del dolor de este tiempo. Se hace eje
del girar de los años transcurridos,
de la pasada tierra, en la que llueve

147

llanto de España. Es igual contarle
sus años como que le cuenten
cada eslabón a esta cadena. Un día
tú lo engendraste en un amado vientre

hacia la libertad: morían mientras
hombres; tú mismo, como un joven héroe,
formabas entre ellos. Tú querías
que una semilla musical y alegre

se hiciera tu vivir: el verso, el hijo,
la esperanza sembrabas. Puro, indemne,
salías del terror. Entre tus labios
era la vida quien cantaba siempre.

Nadie ha cantado como tú la dicha
noble de ser camino de la especie,
esa grave alegría de sentirse
de una edad a otra edad humano puente

bajo el que fluye sin cansarse un río,
y ser al mismo tiempo gota breve
de esa agua tumultuosa. Piedra y gota
únicas y en común de la corriente.

Era para ti un ansia de futuro
el hijo, una perenne
proclamación de aurora, una mañana
de la que luz y libertad emergen.

Pero te nació el hijo cuando todo
se concitaba contra ti. «Un torrente
de puñales» —profetizaste un día—.
Y cayó la tristeza como nieve

sobre los campos de tu pecho, sobre
tu vida blanqueándola de muerte.
Y ahora está aquí tu hijo ante mis ojos,
ante tus ojos que en su faz se encienden

porque no los cerraste, porque nada,
ni aun la mano feroz del odio, puede
cerrar los ojos al que mira, puro,
en la esperanza signos indelebles.

Y ahora está aquí ese signo de esperanza,
esa raya en el mar del rencor, ese
hijo que niño ayer bebía sangre
de hambre y de cebolla en la materna leche.

Crecido como el tiempo de la noche,
como la sombra que nubló tu frente.
Arrancado de ti como con mano
de crueldad se arrancan los esquejes.

Ahora está aquí. Te escribo porque sepas
—y sé que es sorda tu materia inerte—
que está tu hijo entre nosotros, que hace
ante nosotros, juvenil, el trueque

de su alegría por nuestra amargura,
su luz por nuestra sombra. Es la esperanza. Viene
como todos los hijos de la tierra:
El mundo entre sus manos ya se mueve.

LEOPOLDO DE LUIS

(En *Papeles de Son Armadans*, N.º LIV, Palma
de Mallorca, setiembre 1960.)

ESTIGMA DEL HOMBRE

I

AL niño yuntero aquel
la tierra le tiene dentro
ya regresado a su vientre
sin yunta hiriendo su piel.
De nuevo te llamas barro
aunque te llames Miguel.

II

En tu recuerdo madrugo
sin que luna o cicatriz
restañe sangre de plata
en señal de amargo yugo.
Fuiste toro en libertad
bramando donde te plugo.

III

Pastor de un haz de luceros
te soñé sobre las nubes
a son de rabel y espuma
por azulados oteros.
Con alas y no raíces
iban los niños yunteros.

IV

Sigue tu madre cautiva
de la reja del arado
y en siembra oscura y sin gozo
su carne se siente viva
lavando tu fruto entero
con amorosa saliva.

V

Miguel: mañana te espero
en el lugar de la frente
ancha de tu fantasía,
de amor, semilla y tempero,
donde el estiércol bendice
la paz del niño yuntero.

VI

Hiende el arado su punta
en la tierra que te tiene
y desde el barro se preña
la sangre en una pregunta:
¿qué campesino del odio
te remueve con su yunta?

JOSÉ GERARDO MANRIQUE DE LARA

(De *Homenaje a Miguel Hernández*, Málaga
1967, Edición Ángel Caffarena.)

A MIGUEL HERNÁNDEZ

¡QUÉ bien te está la muerte!
Tumbado como un roble,
como un árbol gigante.
Caído de bruces sobre la tierra,
morano, quieto, solo.
¡Qué bien te está la muerte!
Algo de guerrero en ti, de arcángel.
¡Qué bien tendido
sobre la nada, abierto,
derramado en tu propia soledad!
Algo de sol tal vez y mucha niebla,
mucha niebla de penas extrañas,
de nostalgias ardientes, sin nombre.
Tal vez estrellas en torno
y cieno.
Cieno humilde,
húmeda tierra ibérica que tú amabas,
negra de sufrir, oscura,
como tu piel, como tu propia vida.
¡Qué bien te está la muerte!
Si pisaras el mundo, ¿qué serías?
Un ser herido y solitario,
algo amargo y tardío...
Morir es más bello que vivir.
¡Tú lo sabes!

SUSANA MARCH

(De *La tristeza*, Madrid, 1953, Colección Adonais.)

Y DIOS NO DIJO NADA

A Miguel Hernández Gilabert

Y Dios no dijo nada,
siempre estuvo callado.
Vio cómo te morías
y no tuvo clemencia
no movió un solo dedo
de su mano
para alejar de ti
la muerte tan temprana.
Sólo pudiste
sobrevivir tres años,
tres años justos,
día por día.
Cuando tú te morías yo sentí
el primer latigazo en mi costado.
Era la muerte tan barata,
tan al alcance de la mano,
amante y amorosa
descansado fluir en la nada.
Hiciste bien, Miguel.

Para qué más,
el fin era lo único asequible.
En otros la esperanza
obligó a resistir
las largas colas
con paquetes de ropa y alimentos,
la espera de visita
sin derecho al abrazo ni al beso,
el bacilo de Koch
con todas sus variantes
y la avitaminosis con sus llagas,
con la medicación de la esperanza
a uno y a otro lado de la reja.
Dios estaba callado,
pero a ti sí te habló,
te dijo: Vete, Miguel, es hora.
Tu llaga del costado
era en el mes de marzo
de aquel cuarenta y dos, en primavera
y los campos de España verdecían
y tú te ibas muriendo
y yo me iba secando, resistiendo
por fuera, que por dentro
qué inundación de lágrimas
sobre los campos interiores yertos.
Morí también entonces,
inexistí durante años y años
indefensa e inútil como una muerta en vida.
Fueron decenios, años de paciencia
y de resignación
con la cabeza alta y sin mendigar nada.
Cuántos esfuerzos para ganar el pan de cada día.
Y para qué, Miguel, para que ahora
pueda escribir estas palabras

a un ser ya legendario,
que amó cuando yo amaba, en otra parte,
que sufrió cuando yo más padecía,
que luchó por los mismos ideales.
Y Dios no dice nada,
sigue callado siempre, todavía.

CONCHA DE MARCO

MIGUEL DE BARRO, TROVADOR DEL PUEBLO

DE tú a tú, cabrero exclamativo,
Toro de Hispania en calentura; al cabo
De la verdad quiero manifestarme.
Delante de tu influjo de erupción,
Imán batallador, yo te saludo.
Tu voz, no seca, estalla apasionada,
La juventud la escucha;
Fluye sin tacha el varonil cimiento
Como adalid que militó en sus bríos.

Desde el adulto pasto que no cesa
Nos diste ánimos con la palabra
De levadura airada, de bravura,
Abriéndose a compás de tu mirada.
Rodeado por fantasmas de armadura
Años de turbulencia soportaste,
Desalentada boca recogiste
Que en el largo martirio
Luto puso al nombre de tu vida.

A él acudimos.
Con cruel sino
Los malos vientos llevaron

Desde erguido campesino
De pan moreno y rebaños
Al destino del cautivo.

Dentaduras de plomo en acecho
Enfogonaron a tu cuerpo.
Un vendaval de odio
Te hizo abandonar la tierra,
Pero del crimen sanguíneo
Que dijo adiós al poeta,
Para erguir más su figura
Palpitante en la tragedia,
Queda estrepitosamente
Denunciada la sentencia.

Pregonero mayor de multitudes
Atraídas por las fuerzas naturales,
En fibrosas clarinadas, de tu verbo.
Defensor a sol y sombra de la unión
Libre, siendo nuestro camarada heroico
Y bandera circulante en la campaña.
¡Oh poeta común al pie del pueblo...!

MARIO ÁNGEL MARRODÁN

(De *Las heridas de un pueblo*, Montevideo, 1965,
Col. «Aquí — Poesía».)

EL REBELDE

A Miguel Hernández

EN aquel tiempo (como en todos los tiempos)
los elefantes sagrados de los ricos dominaban el
[mundo;
eran, no sólo los más listos y los más guapos,
sino hasta los más santos y dignos de estar vivos.
Por eso las azucenas corrían a florecer en sus
[jardines
y el dios de los poderosos (el único que legalmen-
[te tenía derecho a existir)
estaba inscrito en su partido
y se dedicaba a prepararles los más hermosos si-
[llones en el cielo.

Pero entonces vino el rebelde y dijo:
Bienaventurados los pobres.

En aquel tiempo (como en todos los tiempos)
mandaban los astutos,
los que fabricaban la mentira con más hermosos
[colores,
los que vendían sus patrias a la CIA de Roma,
los que desplegaban mejores razones a la hora de
[sacar una espada.

Pero entonces vino el rebelde y dijo:
Bienaventurados los mansos.

En aquel tiempo (como en todos los tiempos)
las lágrimas no tenían cotización en el mercado
y la alegría era más importante que la verdad
y una tripa satisfecha era la misma sustancia del
[cielo.
Pero entonces vino el rebelde y dijo:
Bienaventurados los que lloran.

En aquel tiempo (como en todos los tiempos)
la palabra justicia
hacía bonito en los discursos
y sólo era delito cuando quien la usaba no era el
[presidente
y los hombres la esperaban como un antiguo pá-
que dicen que ha existido   [jaro
y que es bueno seguir esperando a condición de
[que no venga.

Pero entonces vino el rebelde y dijo:
Bienaventurados los que siguen hambreándola.

En aquel tiempo (como en todos los tiempos)
el corazón era una fruta que seguramente debe
[servir para algo,
amar era un juego que enseñaban a los hombres
[de niños
pero del que luego tenían obligación de avergon-
[zarse
dedicados a cosas tan serias como la violencia y
[el odio, manjares de adultos.

Pero entonces vino el rebelde y dijo:
Bienaventurados los misericordiosos.

En aquel tiempo (como en todos los tiempos)
el prestigio de un hombre se medía por el número
[de pieles coleccionadas
(aunque no siempre era obligatorio que fueran
[del sexo contrario)
y el que engañaba a mil valía más que mil
y el dinero valía tanto como el número de zan-
[cadillas puestas para lograrlo.

Pero entonces vino el rebelde y dijo:
Bienaventurados los limpios de corazón.

En aquel tiempo (como en todos los tiempos)
un hombre subido en un fusil era lo que se dice
[todo un hombre,
y los espadachines contaban con almas de primera
y tenían más derecho a las flores,
y hasta eran mejores mozos y engendraban más
[hijos, y tenían razón en todo.

Pero entonces vino el rebelde y dijo:
Bienaventurados los pacíficos.

En aquel tiempo (como en todos los tiempos)
el orden era la santísima
y era necesario proteger a los que eran felices
[para que pudieran seguir siéndolo,
y los malos eran feos,
y tenían obligación de elegir entre la cárcel de la
[miseria y la otra.

Pero entonces vino el rebelde y dijo:
Bienaventurados los que padecen persecución por
[la justicia.

Y cuando el rebelde terminó de hablar
se hizo un minuto (sólo un minuto) de silencio,
y los ricos, los astutos, los satisfechos, los dema-
[gogos, los odiadores, los sucios, los violentos
[y los custodios del orden
se dispusieron a echar azúcar en las palabras del
[rebelde,
mientras los pobres, los mansos, los que lloran,
[los hambrientos los misericordiosos, los lim-
[pios, los pacíficos y los perseguidos
pensaron, simplemente, que el rebelde estaba loco.

JOSÉ LUIS MARTÍN DESCALZO

PALAVRAS A MIGUEL HERNANDEZ

SERÁ mesmo que existem aínda pastores?
Sim: tangeste cabras no teu *pueblo*.
O mundo moderno até agora não conheceu
Um menino pastor amado como tu.

Mas não te tornaste árcade, Miguel,
Breve provando a substância da luta
No centro onde o problema se decide,
Na cidade; também tangeste máquinas.

Breve provando a experiência do homem,
O sangue defrontando o touro aceso,
O sol negro da prisão e a morter.
E no gênio da Espanha te mediste.

No desencadear do povo áspero, matando
Por exceso de lucidez acumulada
Que rebenta: já não pode se ajustar
A os límites de una única tradição.

PALABRAS A MIGUEL HERNANDEZ

¿SERÁ cierto que existen los pastores?
Sí: apacentaste cabras en tu pueblo.
El mundo moderno no conoció hasta ahora
Un pastor-niño amado como tú.

Mas no te hiciste árcade, Miguel,
Fugaz probando la entidad de la lucha
En el centro donde el problema se decide,
En la ciudad; también apacentaste máquinas.

Fugaz probando la experiencia del hombre,
La sangre enfrentando el toro furioso,
El sol negro del presidio y la muerte.
Y en el genio de España te mediste.

En el desatarse del pueblo rudo, matando
Por exceso de lucidez acumulada
Que revienta: ya no puede sujetarse
A los límites de una sola tradición.

Também é dupla tua tradição: remota e pró-
[xima.
A base antiga, o poroso calor humano,
Incorporas a palavra fundida en metal novo
Que ataca a matéria estagnada e a destrói.

MURILLO MENDES

(De *Tempo Espanhol*, Lisboa, 1959, Livraria Morais Editora.)

También es doble tu tradición: remota y pró-
                                    [xima.
A la cultura antigua, el poroso calor humano,
Incorporas la palabra fundida en metal nuevo
Que ataca la materia inerte y la destruye.

(Traducción de Gabino-Alejandro Carriedo.)

CANCIÓN DEL LLANTO

Al poeta Miguel Hernández

PARA morir así, como tú has muerto,
apagada tu voz dura y valiente,
tremendamente solo en un desierto
sobre la muda arena indiferente.
Sin noble lucha que ofrecer pudiera
al brazo fuerte un ansia de victoria,
igual de acorralado que una fiera
con las garras cortadas, sin más gloria.
Para morir así, roto y sin brío,
preferible es morir en dura guerra,
mas dentro está tu corazón ya frío
del corazón caliente de la tierra.
Muda está ya tu voz de ansias inquietas
y hay un silencio trágico y sombrío
y en la heroica legión de los poetas
tu puesto inocupable está vacío.
Se oye un clamor de voces enlutadas
y medrosas, que entonan elegías,

que dan las uñas del dolor clavadas
como eterna cosecha de agonías.
Un llanto de ternura de cigarras
en tu huerto se enciende cada aurora
y es la vida una noche de guitarras
de pronto enmudecidas, que te llora.
Ya triscan los pastores y el ganado.
Mudos de silbos van por los alcores.
Sólo se oye tu silbo vulnerado
como un canto de pena entre las flores.
Pastor de la hermosura en que me abraso,
dime en qué prado estás, creciente y puro,
ya que pudiste abrirte, paso a paso,
camino hacia el camino más seguro.
Dime qué ha sido de tu voz de espigas,
tu voz de pura miel de los panales,
que si me dices, lo que tú me digas
me servirá para aliviar mis males.
Por tu Orihuela el río viene oscuro
de llorarte y llorarte de no verte;
y es la canción del agua un llanto duro
por la desesperanza de tu muerte.
—¡Miguel!, ¡Miguel! —pasa llamando el río
—no puede ser que ignores su amargura—
y un silencio responde, mudo y frío,
con un hondo sabor de desventura.
No puede ser que esté la primavera
como un grito de vida floreciente
y pierda la frescura en la frontera
del horizonte limpio de tu frente.
No puede ser que esté tu voz dormida,
callada ya definitivamente;
no puede ser, no puede estar perdida
en tan oscura muerte tu simiente.

Pero ya no se te oye; un mudo espanto
sube desde las blancas sepulturas
y derramo mi llanto a un río de llanto
con el llanto de todas las criaturas.

VICENTE MOJICA

(De *La paz nos esperaba*, Alicante, 1966, Ediciones de la Caja de Ahorros.)

CARTA ABIERTA A MIGUEL HERNÁNDEZ

I

A tu ausencia eternal se va mi grito,
mi querido Miguel, amigo mío,
hermano de mi voz, y esta que envío
porque ya con fervor lo necesito.

Desde este mundo triste donde habito
—donde habita conmigo el gris más frío—
cuatro letras de sangre —lo más mío—
a tu clamor valiente te remito.

Cantar para contar cuanto nos pasa
es nuestra servidumbre, nuestra gloria
nuestro temblor de surco o de barbecho.

La tierra está desierta, mustia, rasa:
todo es residuo y sal, todo es escoria
de plomo que aprisiona nuestro pecho.

II

Aquí viven los ángeles del luto,
aquí mueren los hombres cada día
con la condena al hombro y la agonía
saliéndose a los ojos como un fruto.

Aquí, más que pequeño, es diminuto
el corazón que antes se sentía;
el yugo de la frente que se erguía
señalando está aquí como en el bruto.

Un paraíso de terror se agita
entre cuatro paredes misteriosas
que estrangulan la sed de ver el mundo.

Se necesita hiel, se necesita
coraje de serpiente sinuosa
para cruzar un charco tan inmundo.

III

Estás a la otra orilla de la nada
has encontrado el bien de lo futuro,
ni sabes de esta vida desligada
de todo lo más noble y lo más puro.

Tu vida con tu muerte está ganada,
no has pasado el camino más oscuro
de toda una existencia atormentada:
has arribado a puerto bien seguro.

No he de clamar ni en un solo lamento
por la amistad partida en dos abrazos,
y me siento feliz, alegremente.

Yo sé que has de volver, yo ya presiento
anillada tu voz en fuertes lazos
para unirme a tu ser eternamente.

MANUEL MOLINA

(De *Hombres a la deriva*, Alicante, 1950, Colección Ifach.)

MIGUEL, EL DE LA LUZ MÁS LIMPIA

YO no sé por qué tú, Miguel amigo,
tú que llegabas con la luz más limpia,
o que, quizá, fueras tú mismo el alba
vestida de ojos verdes, de penas aurorales de
has caído en la noche,   [hortelano,
mordido de cuchillos,
arrebatado por el odio,
compañero profundo de la sombra.

Yo no sé por qué tú construyes el silencio,
edificas la muerte con tus huesos,
tú el albañil más claro
de las más altas torres
que alzaba la esperanza.

RAFAEL MORALES

172

A MIGUEL HERNÁNDEZ

TE presiento, amigo en la distancia.
Tu voz quizás remota yo la escucho.
El eco de tu alma es sinfonía
que imparte arpegios a mi vida.

Yo te siento, amigo, en las noches
que llevan negras sombras de elegías.
Retazos traen los aires de poemas,
cálido su soplo, tu aliento, es mi brisa.

Yo, extraña en tus tierras levantinas
me siento revivida en tu nostalgia.
Intuyo tu alma, la adivino
cuando ciega camino en mi porfía.

No te fuiste, Poeta, que dejaste
tu semilla en surcos sin eriales.
Yo recojo el grano de tu siembra:
Inmortal cosecha de ideales.

No has muerto, Miguel. Tú me dejaste
el sustento cálido y puro que preciso.
La mañana trae claro tu poema,
y renaces amigo del alma, en cada día.

ANA M.ª MUÑOZ

MIGUEL

TÚ mejor que nadie a tus alturas,
sabes que no, Miguel, sabes que no.
Mientras mordiste el ajo vivo
y la almendra amarga y las collejas
y te agarraste a la esteva y fue el silbido
tu palabra; mientras bañaste
en tus ojos la luz del campo y no cubriste
sino con cáñamo tus pies y acariciaste
tu libertad para ti mismo.
Mientras mordiste los ásperos limones
y el barro, Miguel que era tu nombre fue tu tierra
y hablaste con silbidos los diálogos
de la tierra, la madre, fue en tus labios
fiel clavel de la tierra, la palabra.

JOSÉ ANTONIO MUÑOZ ROJAS

(En *Caracola*, N.º 108/110, Málaga, octubre-diciembre 1961.)

EPITAFIO PARA LA TUMBA DE
MIGUEL HERNÁNDEZ

AQUÍ duerme despierto,
bajo esta losa fiel,
huésped ya de lo cierto,
pastor del viento aquel,
hortelano en su huerto,
de Orihuela clavel,
ya corazón abierto,
verso vivo, Miguel.

ANTONIO MURCIANO

(De *Plaza de la Memoria*, Málaga, 1966.)

EN LA MUERTE DE MIGUEL HERNÁNDEZ

ESTA forma yacente es de un hermano;
de un amigo de amor y de terneza;
de un poeta campestre y oriolano
que volaba, torcaz, por la Belleza.

Gabriel Miró la lleva hasta el Arcano
por Elíseos de sombra y de grandeza.
Vista de luto el verso castellano
y las campanas doblen en Oleza.

Miguel, Miguel, ardiente levantino
ahora que el llanto silencioso brota
sobre tu tumba pongo este divino

dolor que se conmueve y me derrota.
Este ramo de murta que destino
a coronar tu frente de matriota.

ANTONIO OLIVER

(De *Obra Completa*, Madrid, 1971, Ediciones Biblioteca Nueva.)

PLENITUD

A Miguel Hernández

ESE gesto de hombre en tu mirada
y ese puñal clavándose en tu aurora.
Ese toro de Iberia por tu hora
y esa camisa blanca ensangrentada.

Ese rayo incesante, esa llamada,
esa dolida mueca labradora,
todo es un tigre manso, todo llora
y hasta la luz, amigo, va enlutada.

Y hasta la luz, amigo. Hasta la tierra
en que yace tu cuerpo «saviamente»
con el pan, con el vino, con la entera

plenitud de tu ser: rotundamente.
Rotundamente en ti la primavera,
ese gesto de Dios adolescente.

LAURO OLMO

(En *Agora*, Madrid, enero 1952.)

A MIGUEL HERNÁNDEZ

A este Miguel que al barro condecora
a este pastor de célicos rebaños
a este perito en lunas y pesares
enamorado fiel de caracolas

le sobra el corazón: nos lo regala.
Recibimos su sangre encarnizada
su herencia de naufragios invisibles
de claros versos puros pedregosos.

Hasta Orihuela va la pluma mía
buscándote, Miguel, entre tu pueblo,
buscando, ruiseñor de las desdichas,

tus huellas en los huertos que erigiste.
La cárcel entretanto aherrojaba
tu suave surtidor, oh silbo herido,

la cárcel y la muerte jazminero
para tu roja voz enamorada.

WINSTON ORRILLO

(De *Orden del día*, Buenos Aires, 1968, Editorial Losada.)

MIGUEL HERNANDEZ: 1970

— DOS casas a la izquierda
después del arco
Calle de Arriba —
(Te llamaban el Poeta.
No te nombran tu nombre todavía.)

El poyete de piedra
en donde te sentabas,
la amordazada puerta,
cuentan.

De la falda del risco
cerrada a cal y canto,
la casa vieja.
Y la higuera del patio,
verde y quieta.

Padecedor del hambre de los pobres,
Miguel,
pastor de ovejas,
para rumiar tus sueños
trepabas a la sierra.

Al apagarse el monte desolado
bajabas la ladera.
En tus puños cerrados
apretabas promesas
que al escapar de tus callosas manos
volaban en Palabratierra.

Palabra que precisa pregonaba
esperanza a la pena.
Por ella te cubrieron,
Miguel,
la faz con tierra.

GUILLÉN PERAZA

A MIGUEL HERNÁNDEZ

Umbrío por la pena, casi bruno
porque la pena tizna cuando estalla.

MIGUEL HERNÁNDEZ

ALLÍ estabas, tan firme tú, aquel día
vibrante, igual que un tembloroso cirio.
Allí, tan claro tú, pálido lirio,
que una lejana brisa conmovía.

Allí estabas. ¿Allí? Te sonreía
la tarde, y su canción — ay, tu martirio —
te alzaba sin cesar. (Qué alto delirio
tu mirada sin luz, tu voz umbría.)

Allí estabas, y estás... (Ya un sol te dora,
te defiende y, abierto a cada aurora,
clamas, ya tanta noche destruida.)

Por eso allí te miro, para verte
mejor, y guardo, al filo de tu muerte,
la amarga sombra aquella de tu vida.

PEDRO PÉREZ CLOTET

(En *Caracola*, N.º 96-97, Málaga, 1960.)

MEMÒRIA DE L'ÚLTIM COMBAT
(XXV Aniversari de Miguel Hernández)

CONTACTE llis de rosa i ferro
esguard metàl·lic d'ulls sords cecs
segurs però en l'espessa trajectòria de les venes
per sobre dels morts el sol salobre
l'eterna multitud rius de futurs i angoixes
del present pot esclatar com brollador de pètals
paisatge de cançons i d'esperances
contra horitzons de sofre
murs de tenebra escòria uniformada
mil voltes abatuts i sempre ressorgint
o un dia gris pot aixafar definitivament
un llavi cent mil boques
tallar els camins de les roselles
i obrir les comportes de la sang.

No és eterna la por ni és eterna la pau
de la basarda de les cames
un brollador ens surt de fúria i odi
creixen els punys les veus inunden
el clos sagrat dels morts
com el mar renovats il·luminem la nit
esfereïdora amb por cridem la sang
amb pau portem la ràbia d'ona en ona

MEMORIA DEL ÚLTIMO COMBATE
(XXV Aniversario de Miguel Hernández)

CONTACTO liso de rosa y hierro
mirada metálica de ojos sordos, ciegos
seguros sin embargo en la tupida trayectoria de
[las venas
por encima de los muertos el sol salobre
la eterna multitud ríos de futuros y de angustias
del presente puede estallar como surtidor de pé-
paisaje de canciones y de esperanzas   [talos
contra horizontes de azufre
muros de tiniebla escoria uniformada
mil veces abatidas y siempre resurgiendo
o un día gris puede aplastar definitivamente
un labio cien mil bocas
cortar los caminos de las rosas
y abrir las compuertas de la sangre.

No es eterno el miedo ni es eterna la paz
del temor de las piernas
un surtidor nos sale de furia y odio
crecen los puños las voces inundan
el sagrado cercado de los muertos
como el mar renovados iluminan la noche
aterradora con miedo llamamos a la sangre
con paz llevamos la rabia de ola en ola

de segle en segle arraulits ens alcem entre la
dempeus cap a la rosa cap al centre   [molsa
de les coses

       vosaltres que plantàreu les espigues
els qui regàreu erms tots junts en pau
i glòria descanseu

         nosaltres
descansarem en pau i por rebels
a la consagració de l'esperança.

JAUME PÉREZ MONTANER

de siglo en siglo encogidos nos levantamos de en-
                                        [tre el musgo
de pie hacia la rosa hacia el centro
de las cosas
                    vosotros que plantasteis las espigas
que regasteis eriales todos juntos en paz
y gloria descansad
                        nosotros
descansaremos en paz y miedo rebeldes
a la consagración de la esperanza.

(Traducción de Francesc Pérez Moragón.)

A MIGUEL HERNÁNDEZ

LABRADORES del sol y de los trigos
campesinos descampesinados

nunca tuvisteis el juguete en las manos
nunca disteis cuerda a su llave

nunca dijisteis esto mío y esto tuyo
nunca que es ayer y es hoy

un nunca y un hoy que es nada
nada de él de ellos de los más
de los más de los nunca y los de hoy

de los que nacieron en el campo y murieron en la
tierra

de los que murieron y ya están muertos
con barro de muerte con muerte de barro

FÉLIX PILLET

(Del libro *Hablando sin leyes*. «Castellote, editor». Madrid, 1974.)

ELEGÍA A UN POETA

DOLIÉNDOME, sangrándome en ti,
el hombre que soy se alza como un grito,
se yergue, vendaval de hondas raíces,
sordo clamor de nuevas generaciones.

Un hombre cayó de fuera adentro, irremediable-
[mente.

El mar, un brusco mar de noches,
se agolpó en el pecho de luces sediento.
Sí. Un hombre perdió su voz enmudecida en el
[hielo
de una tarde deshecha en amargas soledades.

Qué sencillamente se dice: «murió».
Mas algo profundo se revela en la carne
y un lento incendio crepita en el alma.

Oh, crueldad de la triste palabra
que no responde al labio, a la sangre,
a la voz que se rompe en su misma entraña,
queriendo brotar en grandes oleadas
queriendo convertir la tierra en ave,
queriendo arrancar al hueso de su fría perma-
[nencia
de días y más días, de noches y más noches
en un tejido de largos, de terribles silencios.

Sólo la lluvia puede besar tu aterrada presencia;
sólo la lluvia es libre para acercarte un poco de
[hierba,
y hasta quizás haga nacer una blanca magnolia
en lo que fue dulce camino de tu garganta.

No te desampara la vida a pesar de tu ausencia.
Ese diario morir que tú fielmente cantaste,
es hoy un gozoso vivir ganado en la memoria.

Pero tú, ciudad, ¿puedes seguir durmiendo to-
[davía?
¿No ves la luna ensangrentada caer hora a hora
sobre el vaho de tus calles con escamas de siglos?

En tu pulmón de piedras ennegrecidas,
un árbol se precipita en llanto silencioso;
se despeña en él el río, la vida se derrumba.

Sus ramas son largas heridas en el aire,
largas agujas en el callado espacio abandonado,
ataúd sin cuerpo, ciñendo el cálido vacío
de una huella de voz, un día apuñalada.

Ni sudorosa estás, ciudad sin venas:
un caudaloso azul se amontona en tus espaldas,
y el agua se entontece en tu cimiento,
huérfano de luz, del grito aquel, de aquel gesto
que seducía estrellas con su desnuda mirada.

Ya no hay frente que al dolor resista
de la pesada cadena de tu indiferencia.

Oh, ciudad, despierta, despierta, llora, grita,
anega con tus lágrimas los campos que te nutren,
arranca la podredumbre que te ahoga y mata.

Acaricia la sombra dolorida de aquella higuera;
levanta las losas de tus calles funerarias;
deja el sol penetrar por las tímidas ventanas
y respira ya, ciudad, por la dorada garganta
que, muy cerca de ti, al barro glorifica.

Cada mañana amanece tu nombre
con un poco más de sol, más claro,
más redondo en los veloces latidos de mi pulso,
de esta terca costumbre de seguir viviendo,
de seguir soñando lo que las paredes niegan.

Una turbia conciencia quiere hacer olvidar
lo que proclama una intensa primavera;
pero tu palabra exacta y tu exacta presencia
nos dan la medida del rayo que no cesa,
del viento que guardabas en tu pecho de atleta.

Hoy eres más que hombre. El ruiseñor ha des-
                                    [truido
el apretado silencio de la tierra que te cubre,
abrazando el rígido esqueleto de tu figura,
hecha lumbre de amor, ascua de ardiente poesía.

El nivel del hombre se levanta
alentado por el caudal de tu misterio,
y es una honrada esperanza, una humana caden-
                                    [cia
la que nos lleva hacia el verso y nos instala
en ese mundo anhelado donde querías ser hombre

y sembrar en los demás aquella canción verda-
[dera
que la tierra te enseñó enamorada, sencillamente.

VICENTE RAMOS

(De *Honda llamada*, Alicante, 1952, Colec. Ifach.)

EVOCACIÓN EN PRIMAVERA

TE sé hombre, Miguel, porque estás muerto.
Y hombre soy. Y pastor fui. Y heme de morir.
Mas déjame soñar, decirte entelerido, evocarte
— gloria de petaca y de yesquero al respaldo, en
                              [la ladera —,
porque es primavera y alucina la yerba.
Si vivieras hablaríamos de cabras, de ovejas y de
                              [esquilas:
«Tuve un bocifuego,
               mocha,
                      que paría mellizos.»
«Yo una romera;
           comía lentisquina
                y
                    flor del majoleto.»
Pero mueres. Morimos. Más cada día.
¡Son quimeras, cartas y poemas!
Sueños... Más que sueños. Más forzosamente
                    [muerto, mi muerto imposible
entre la zulla, silbo vulnerado, imagen-semejanza
                          [del David,
dios perdido y hallado en la memoria, en la testuz
                       [del toro; diríate:
«Las cabras tienen las ubres reventando y balan
                       [por la ería,
porque es primavera y alucina la yerba.»
Te sé erguido cardo sobre el corazón de España.
No arcángel, ni símbolo; sí cruz, un cayado,

un viento del pueblo, un rayo que no cesa,
un rabadán curtido, y quiero preguntarte:
¿Crecer al son de la rumia y los cencerros,
  gozando los careos,
sabiendo si es enero o es otoño por el olor de las
                          [cagarrutas,
por el retozo de un borrego
    o
  la ardentía de una chiva,
deja un poso en la sangre para toda palabra?
Quisiera saber si añoras la paz que nos oprimía,
el sabor de los calostros recién ordeñados,
  la soledad entre lomas,
                     los vericuetos
                              y los cerros,
el halo de la tierra, el rocío en las manos
o las estrellas en la frente, que ganamos,
porque es primavera y alucina la yerba.
No somos ángeles, Miguel,
          somos hombres,
                 machos resabiados;
tú, muerto; yo, alentando todavía; pastores sin
                          [piara.
Olvidaría.
  ¿Olvidaste alguna vez tus voces, tus arreos
por linderos y cañadas?
Aún huelo a suarda, me pesa el zurrón,
me palpo la zamarra por encima de los huesos,
porque es primavera y alucina la yerba.

                      MANUEL RÍOS RUIZ

    (De *Dolor de Sur*, Madrid, 1969, Colección Ar-
bolé.)

CARTA A MIGUEL HERNANDEZ

BARCELONA a 28 de marzo de 1952
Amigo Miguel, hermano candeal:
en este décimo 28 de marzo de tu marcha
te enviamos un himno de silencio
salpicado de amor, de odio, de náusea
por tanta cosa como hay para todo.
Silencio cuyo grito nos quema la garganta
del que me dicen que sea recadero.
Estamos aquí, en tierras catalanas
dau al set de la España transida,
donde tú eres hoy apasionada presencia
igual que en Cuenca, Granada o Polinesia.
(En tu corazón poético se entiende.)
Estercolado tu verso
con tu propia materia putrefacta
florece en la meseta
de este retorno del hombre al hombre mismo.
Porque nadie es firme a su recta consecuencia.
Sólo tú, terco o simple, o hasta tonto si es así,
pero noble como una hogaza de pan,
diste tu cuerpo al sacrificio.
Por eso, junto a tu desgarrada voz
—limpia cantora de los goces elementales de la
[vida—
amamos tu figura
desde nuestros peculiares ángulos,

aunque yo, en nombre de todos,
sea quien te tienda nuestra mano y nuestra
                                    [ofrenda.

Quiero hacerlo hacia tu símbolo
que renace y triunfa en nuestro pecho,
pero también en el recuerdo
de aquella tierra nuestra y aquel pueblo
entre el Segura y el Guadalquivir
donde se ama a Dios sin teología
y se canta la siega o la aceituna
con la voz del pan y la cebolla
curtida en el zurrón.
Todos, Miguel, te saludamos
y como tenemos tantas y tantas cosas de que ha-
                                    [blarte
nos despedimos diciéndote tan sólo: tuyos siempre.

CESÁREO RODRÍGUEZ-AGUILERA

(En *Dau Al Set*, Barcelona, marzo 1952.)

MIGUEL HERNANDEZ

A Josefina Manresa

TODO es silencio en los rebaños
que se alejan por el alba sosegada.

Contemplas unas ruinas, gestos,
manos caladas en polvo de almidón de trigo
disuelto en el medio sanguíneo.

Para marchar del brazo, cenizas en las velas
con llagas sanas y arañas en la ropa,
tela colgante rota en tiras.
Cuando por encima de las raíces se ondulan,
los sueños que aún tienen sus fuerzas.

Pulmón que se rompe, al buscar el corazón
del hombre, dolor mal cicatrizado.

Vuelves a la tierra, acariciando
el hambre de los árboles y los pastos.
Con los pájaros, cuando el alma es ya la sombra
guardada con las petunias del cielo.

195

Ya eres cuerpo reposado
con el sueño de la piedra.
Ya está seca tu voz de arpa,
y abierto el verde de tu ancha mirada.

Hundido con la cegadora luz en el hueco del
[hueso,
en la colina blanqueada de pura cera de abejas.
De dolor se cubre la tierra llena de cepos,
entre los ríos que abandonan los huesos.
Al levantar un muro de fuego y oscuras arenas
con lágrimas que se vierten en el largo
corazón rodeado de púas. Para decir adiós
a un poeta con el peso de una sentencia en la
[mano.

CARLOS RODRÍGUEZ SPITERI

(En *Caracola*, N.º 96-97, Málaga, octubre-noviembre 1960.)

MIGUEL HERNÁNDEZ

TU vida tuvo el signo de la hoguera.
Soñador, camarada, combatiente,
fueron hierro tu sueño y tu quimera
sobre la fragua roja de tu frente.

Recogías la espiga en primavera
cuando a tiempo regabas la simiente.
Labrador de tu propia sementera
quisiste serlo honrada y libremente.

Pero llegó la sangre sobre España.
Y fue tu corazón lo que hemos visto,
cercenado de luna y de guadaña:

girasol encendido sobre un canto
de amor al hombre, al olvidado Cristo,
que en la arena y el mar vierte su llanto.

MANUEL-FELIPE RUGELES

(De *Puerta del cielo,* Caracas, 1945.)

CUANDO VIVÍAS BAJO LAS OJIVAS

Homenaje a Miguel Hernández

CUANDO vivías bajo las ojivas
de la ciudad aquella, tu alma entonces
iba nadando enamorada
por la corriente honda de aquel río
buscando el corazón
de la naturaleza,
su trasfondo tal vez o tu destino.
Pero también habías sido sombra
en las piedras labradas
de portadas o claustros,
por ellas paseaste
tu sufrimiento, y tanto
ahondaras en ti
que en el dolor hallaste la raíz de estar vivo.
En tantos años nunca
brilló dentro de ti la libertad,
y es que habías vivido igual que un pájaro
cuyas alas cortara
invisible cuchillo.
Qué libertad querías.
¿Te entiendes tú contigo mismo, acaso?
Libertad es el amor,
nadie encuentra su orilla.
Los labios vegetales

de la mujer amada suenan como murmullos
de besos o de chopos.
Qué libertad amabas,
si la del hombre, no, dime, por qué quemaste
tu juventud, las alas
de tantos días,
luz fondo de otra luz,
sin hallar si no en sueño la libertad absoluta.

JUAN RUIZ PEÑA

(De *Nuevos aforismos de Verecundo Abisbal*,
Salamanca, 1974, Colección Álamo.)

EL PRESO
(A la memoria de Miguel Hernández)

«*Diéronle muerte y cárcel las Españas.*»
QUEVEDO

DE madrugada aún lucen las estrellas,
aún nos dejan alzar los ojos, dar
al aire libre lo más nuestro, ver
cómo se quiebran las palabras vivas.
Pero la noche es larga y se detiene
sobre los nombres propios, los rodea,
los pone oscuros, casi no les deja brillar.

Hoy más que nunca es barro nuestro hombre,
arcilla fiel que nos sujeta a un muro
de soledad. Volar... Pero, ¿quién vuela,
qué azules horizontes nos cerraron
con llave y para siempre, qué alegría
nos han quitado a los vencidos?

Olvida, olvida. El pan, el agua, el muro
más alto, las gaviotas más veloces

viven para olvidar, entregan toda
su orfandad a las sábanas del aire,
dan a entender que no recuerdan nada.

Esa ventana da a la calle, mira
la calle aquí, con todo el mar al fondo.
Voces claras de niños mediterráneos suben,
abren todas las puertas y, enterrando
al hombre que han de ser, cantan, caminan
bajo la luz del alba.
Y no son libres.
El espacio se llena de alambradas.

Y porque la sangre puede más, y corre
aquí fuera, y los ríos en crecida
arrasen campos y ciudades. Todo
ha muerto, todo lo que un día pudo
dar la felicidad al hombre muerto:
los pájaros, el gozo de sentirse
emparentado con los trigos de oro,
el palpitar blanquísimo del álamo...

¡Que nadie haga el balance, que no llore
nadie! Más vale así. Calladamente,
sin esperanza como están los ciegos
de nacimiento, duerme, entrega al aire
lo que es del aire, roza la alta reja.
Porque las rejas son como las cuerdas
de una guitarra triste, y nadie rasga
esa guitarra, y nadie viene nunca
desde la vieja libertad, y sólo
se escucha entrar a Dios, a veces hasta
dentro del corazón, y le sentamos
a la mesa, y le damos nuestra pena

racionada y hondísima, y le vemos
ponerse triste con nosotros mismos,
siendo, como nosotros, inocente.

CARLOS SAHAGÚN

(De *Profecías del agua*, Madrid, 1958, Colección Adonais.)

A MIGUEL DE ORIHUELA

CUATROCIENTOS
canarios
derribados
lloraron
por tu sangre
levantina,
sabia de luz,
quienes te engendraron,
convocaron
la imagen
de todas las auroras.

Cuatrocientos
pastores de Orihuela,
desde el confín del trigo,
cernieron
en tus ojos
los panales
de un poeta
total,
sin parangones.

Otros poetas...
¡Tantos te cantaron!

No puedo sustraerme
al privilegio
de tu barro
prominente
o vital
sin admirarte.

Tu sino
culminaba
un astado toro,
era tu asombro
hermano
en estructura.

Eras acaso
un elegido?
Un patético llanto?
o un presagio...?

De reja en reja
como la de tus
enamorados labradores,
ellos guiaban ovejas,
tú esculpías poemas
con la sangre.

Serían tantos,
los toreros
de sangre inflamatoria
y estirpe de jilguero,
cubrirían la tierra
con sus ayes,
si lloraran

tu adiós
Miguel labriego.

Tu última
palabra,
fue un suspiro
culminante y agitado:
«despedidme del sol
y de los trigos...»
Y la tierra,
a la que tanto amaste,
aún te acuna
con un crespón
astado,
y un azadón
de huerto
abanderado.

AMELIA SAIEG

(En *Norte*, N.º 233, México.)

SER UN RÍO DE AMOR

SER un río de amor que se derrama
hasta inundar la tierra más distante
y alimentar su ausencia a cada instante
y en su fuego abrasarse cual retama.

Ser un tronco de vida que se inflama
aunque el metal más frío se levante,
y comprobar que un hacha agonizante
hace del corazón trágica rama.

Ser la mano que toca la belleza
y tener que apartarse de su lado
para ver las humanas cicatrices.

Ser un árbol de sangre y de pureza
y tener que vivir desarbolado,
como un árbol que vive sin raíces.

Al dolor del destierro condenados
—la raíz en la tierra que perdimos—,
con el dolor humano nos medimos,
que no hay mejor medida, desterrados.

Los metales por años trabajados,
las espigas que puras recogimos,

el amor y hasta el odio que sentimos,
los medimos de nuevo, desbordados.

Medimos el dolor que precipita
al olvido la sangre innecesaria
y que afirma la vida en su cimiento.

Por él nuestra verdad se delimita
contra toda carroña originaria
y el desierto se torna fundamento.

ADOLFO SÁNCHEZ VÁZQUEZ

(En *Panorama de la poesía moderna española,*
de Enrique Azcoaga. Buenos Aires, 1953, Editorial Periplo.)

HOMENAJE A MIGUEL HERNANDEZ

YA todo satisface a tu natural forma
de madurar lo humano
la caricia en su sitio
definitivamente
aunque no suene el himno
ni te inclines total y siempreviva
como la vez primera
sólo que en ti

compraste lienzo ya
comraste soledades para bordar migajas
y heme aquí acurrucado
presidiendo la mesa
sentenciando las zarzas
si te gustan las moras
y se realiza el vino
dulzón como panales
mi dulce abeja dulce
hoy detenida así
mirándome sin quejas
bajo el manzano familiar

repletos
turbiamente repletos
en la acequia del hombre campesino
el tazón rebosante
de ternura caudal
repleta de alborozo
opuestamente cálida
hasta que resurjamos
que no crezca la tapia renovada
ni se escancie la sangre de las uvas
toma mi jarra amor toma el pedazo
de saliva mejor construye un mundo
y pónmelo a la altura del aliento
para que paladee tu manera
de dormir los colores y aventar las espinas
sin arañar siquiera
posándose de lleno la paloma más última
sobre tus hombros vírgenes
en que buscaba un pozo
y tan sólo hallé sombra
pero qué amor qué siesta
tan sin dormir
para rememorarse sobre tus verdes párpados
lejos del rascacielo de la zona dañina
en que se gesta el viaje
hacia duras prisiones
porque quisieron tanto
como tú y yo
grazna la juventud grazna el tesoro
y cuantas melodías coleccionadas
para en víspera noche y otras noches sin víspera
desplegarlas feliz
y temblorosa
sólo ante mí la paz adquisiciones

209

a fuerza de calor y no disparos
a fuerza de poblar surco tras surco
y no los camposantos
pliega el visillo ayer y date el hoy
para llegar temprana a mi impaciencia
después de tantos años
después de tantas lluvias
sobre tu asentimiento
ando como nervioso
porque regresas nueva
con un flamante lienzo
y una almohada con flores
que dañaron tus dedos
estoy aquí mujer abre la puerta
sorpréndeme robándote la espera
acurrucado aguardo
prepara las esposas
ponme a punto de abrazo vespertino
recuerda bien niñez ya presentida
el asombro de hablar en orihuela
con más pan de centeno en los mandiles

no digas que esta noche
no digas que me amas
sentencia amor sentencia
y abrázate dolida al limonero
que empieza a sofocarme
la bruna venda joven
diecinueve peldaños de eso que llaman paz
y latentes quedaron tus pasos como puños
hasta llegar a mí
mirarme y presentirme
dejar el cántaro
depositar la lágrima

y contar cómo afuera se nos murió miguel
así
sencillamente
llorándole un barrote de la celda
de puro milagrito
españa mía

JOSÉ MIGUEL ULLÁN

(De *Amor peninsular*, Barcelona, 1965. Colección El Bardo.)

TRÍPTIC A LA MEMÒRIA DEL POETA
MIGUEL HERNÁNDEZ

1

ÉS el bon temps. És el temps del fruit gerd.
És el temps nou que reflecteix del cert.
Llum de Miguel Hernández Gilabert.

2

Sento el teu clam que aquesta nit ressona
més fort que mai com vol encalçar l'odi,
sento el teu clam que torna a sé amb nosaltres.

Més fort que mai és el foc que es revifa
com un braser que covés un bell somni,
més fort que mai és el crit de la terra.

Com un braser maldant per no extingir-se,
sento el teu clam que esbotza el llarg silenci
més fort que mai — més ferm que mai avança.

TRÍPTICO A LA MEMORIA DEL POETA
MIGUEL HERNÁNDEZ

1

ES el buen tiempo. Es el tiempo del fruto
[fresco.
Es el tiempo nuevo que refleja de lo cierto.
Luz de Miguel Hernández Gilabert.

2

Siento tu clamor que resuena esta noche
más fuerte que nunca como quiero acosar el odio,
siento tu clamor que vuelve entre nosotros.

Más fuerte que nunca es el fuego que revive
como un brasero que incuba un bello sueño,
más fuerte que nunca es el grito de la tierra.

Como un brasero esforzándose por no extin-
[guirse,
siento tu clamor que rompe el largo silencio
más fuerte que nunca — más firme que nunca
[avanza.

Retinc un mot,
servo una paraula enmig de les teves paraules,
estimo una paraula que fecunda les teves paraules
i les paraules de tothom.
Escric un mot dels teus versos

      llibertat.

 Sento el mateix desig
—tots sentim el mateix desig—,

escolto la muda veu de la meva pàtria i la de les
       [pàtries germanes.
Sento els pobles de tot el món com aixequen llur
       [veu.
És el teu mateix desig

    justícia.

 Veig el teu horitzó,
és l'horitzó dels esguards joves,
és l'horitzó de l'home d'avui
adelerat d'atènyer un somni ja vell.
És també el nostre camí

    la pau.

Francesc Vallverdú

(De *Qui ulls ha,* Barcelona, 1962, Joaquim Horta, Editor.)

3

Retengo una palabra,
conservo una palabra entre tus palabras,
amo una palabra que fecunda tus palabras
y las palabras de todos.
Escribo una palabra de tus versos
                              libertad.

Siento el mismo deseo
—todos sentimos el mismo deseo—,

escucho la muda voz de mi patria y la de las pa-
                              [trias hermanas.
Oigo a los pueblos de todo el mundo cómo levan-
Es tu mismo deseo   [tan su voz.
                 justicia.

Veo tu horizonte,
es el horizonte de las miradas jóvenes,
es el horizonte del hombre de hoy
deseoso de alcanzar un sueño ya viejo.
Es también nuestro camino
                 la paz.

(Traducción de Francesc Pérez Moragón.)

NO ME BASTA TU VOZ

MIGUEL Hernández, Miguel Hernández, Miguel
[Hernández...

Que no se acabe nunca
esta música recia de tu nombre,
esta tu raza y sangre y la colmena
del corazón de luz de tu poesía.

Que nadie diga
que nada de ti queda, que no vives,
que nadie piensa en ti,
que el rayo cesa
convertido en ceniza...

Miguel Hernández, no, no has muerto.
Tienes hondas raíces con la tierra
sumergidas en llanto, pero vives
a través de los años que te arropan
entre amapolas tiernas germinando
para la antorcha eterna de los siglos.

No estás solo en tu noche, no, no has muerto.
No hay olvido que queme tu presencia
ni nieve que te borre en el descanso.

Hermano, sobre el mapa sin concierto
hay subterráneas torrenteras
y torres que sostienen estos sueños
que serán con tu nombre arquitectura
de nueva luz, cosecha de tu siembra
por los caudales campos derramada.

Miguel Hernández, Miguel Hernández, Miguel
[Hernández...

En el viento, en las cimas, en el azul
sangra tu nombre, se dispersa,
sobrevive, combate, se adelanta
su rosa que al silencio despedaza.

Tu bandera pasea con estrellas
de uno a otro continente, indestructible
mensaje de tu voz, de tu amargura,
que amasaste en la noche de agonía
donde dicen que has muerto y donde vives
y esperas. Yo te busco en tus alturas
inaccesibles, en el llanto
que clama persistente por tu ausencia.
En el volcán herido de tu corazón,
en tu rayo de fuego que nos dejaste,
en tu sangre que vive y te adelanta
con el hijo engendrado en tu ternura.

Dame tu mano, Miguel Hernández,
tu corazón para partir,
para sostener mi nervio más allá de la pasión que
[golpea,
más alto que este clamor que sube inconsumida-
[mente,

más hondo que esta tortura desolada
que me roe la miel de la vida.

No me basta tu voz, tu grito, tu meridiana luz.
No me basta tu ardiente oleaje subiendo.
No me basta tu huracán clamando,
ni tus venas mustias que sangran pesadumbres
desmesuradamente abiertas a dimensiones de as-
                                        [tros.

Dame tu mano, tu contacto de silencio.
Señálame la ruta de la centella flagelante.
Tu grito de verdad que arrasa y congrega
presagios de luz, tumultos, estremeciendo el aire.

Desnudo está tu corazón, como flor, aliento
que nos congrega en el abismo y la ebriedad.
Tu corazón que arde su pábilo perdurable, irre-
                                        [ductible,
su medida de amor, su melancolía de ausencia,
su vegetal raíz donde nacen los nardos de la es-
                                        [peranza.

Vuelve a ser primavera cada año que pasa. Ino-
                                        [centes
ángeles que coronan los manzanos y los cerezos
                                        [de flor
sacuden los pájaros por la floresta y la zarza,
acuden al reclamo de la vida desbordada.

No hay olvido ni silencio que apague las voces,
Miguel Hernández. Dame tu mano, que yo iré
con mi lámpara ardiendo de estrella en estrella,
antorcha viva mi corazón para cercar tu soledad,

huella ardiente en tránsito por los caminos de tu
[sueño,
por lontananzas y auroras con mi pequeña vesti-
[dura.

PURA VÁZQUEZ

(De *Los poetas*, de Pura y Dora Vázquez, Orense, 1971, Ed. Excelentísimo Ayuntamiento de
Orense.)

MIGUEL HERNÁNDEZ

I

AÚN te llamas Miguel, de barro alado,
de barro errante y dulce todavía,
era de tierra el mar cuando morías,
de luto el sol, trigal acongojado.

Triste llorar de tierra tu sembrado
disuelto por el mar que no veías
y la revolución que florecías
en el rostro terral, desenterrado.

Pero la ola aún te mide y alza,
como si no creyera te descalza
para que no hagas ruido, pues caminas,

y eres más popular que una majada
y más sonora aún que ametrallada
vuelve tu claridad por las esquinas.

II

¿Te mueres cada año o te deshojas
cuando el otoño llega y tus raíces
levantan como tibias codornices
su brusco vendaval sobre las hojas?

Con palabras de tierra, quién tu fosa
podría recubrir de seco olvido
si está inquiriendo aún por tu latido
hasta el rostro casual de cada rosa.

Por tu abeja feliz, aprisionada
es amarga la miel del que venciera,
en tu muerto penal ve su mirada.

Y es un guardia civil sin primavera
el que cortó tu espiga madurada
para hacerse un fusil con tu bandera.

SARA VIAL

(De *En la orilla del vuelo*, Buenos Aires, 1973,
Editorial Losada.)

PRIMERA CARTA A MIGUEL HERNÁNDEZ

ES triste que los días y los pozos
se encenaguen desesperanzadamente
es triste y ya ves qué doloroso
ocultar nombres,
huir nerviosamente,
enterrar en viva vida a tanto hombre
mediomuerto
a ras del suelo.
Es triste saber que el silencio duele
como duelen unos brazos vacíos,
extendidos, abiertos
en carne viva hacia.
Es triste y ya ves qué doloroso
hablar contigo
con tanta ausencia de por medio
y tanto y tanto odio
preparado para no despertar de este horrible
Porque hay hombres que mueren   [sueño.
y quedan irremediablemente
para siempre
muertos
pero hay otros de corazón libre
con alas al viento
que hacen vibrar la tierra que los cubre
y acompaña
porque están vivos

aunque los calendarios repitan que están muertos,
Por eso es triste todo eso.
Por eso duelen los silencios.
Por eso te escribo desde lejos;
porque sé que tus palabras
repletas de luz y de esperanza
llegarán abrazadas al viento:
«aunque bajo la tierra
mi cuerpo amante esté,
escríbeme a la tierra
que yo te escribiré».

Ángel Luis Vigaray

LLANTO DE UN PÁJARO
POR EL POETA MUERTO
(A la memoria de Miguel Hernández)

UN puro cuerpo, tierra,
se devuelve a su origen.
Es hijo que refluye
a su materno vientre.

Traslada negras ondas
de sangres muertas, grávidas,
oscuros laberintos,
raíces, huesos, polen...

Es luz que hunde en tu seno
la verdad de su lumbre:
esa estrella hermosísima
que ha huido de su cárcel.

No hay losas que la cubran,
pues, viva, inscrita queda

en todos los paisajes
de río y de montaña.

Por dentro va del mundo:
por dentro de las rocas,
del mar y de las viñas.
¡Más alta va que el cielo!

Y luz son sus dos ojos,
verdad que no se extingue,
ni nadie ha de segarla
pálidamente un día.

¡Su nombre irrumpe en ti,
astros despeña, nubes,
flores de amor, el llanto
y rayos que no cesan!

¡El Este, el Sur, la grama,
olivos y manzanos,
la tuerca y el jazmín
y los besos más fúlgidos!

¡Remansa, oh tierra madre,
sus dones, como espuma!
¡Y guarda tú, despierta,
su sueño postrimero!

¡Aya una vez, por siempre!
¡Cuna final, regazo!
¡Bóveda, sí, de hierba!
¡Inmensidad, no féretro!

Aquí yo estoy llorando...
Vendrá la Primavera
cuando los hombres se amen
y el odio ya no exista.

Yo cantaré de nuevo
para el hijo que aduermes,
sobre ti o en el aire,
una nana bellísima.

CONCHA ZARDOYA

(De *Pájaros del nuevo mundo*, Madrid, 1946, Colección Adonais.)

ELEGÍA A ORIHUELA

A Vicente Aleixandre

LO vi en su soledad, almendro humano,
desgajado el esqueje del enjambre
y el verbo hecho colmena desvalida
entre un cerco de abejas derramadas,
no lejos de aquel mar, del mar patricio,
huéspedes las sirenas y el falucho
del cristal habitable de las olas.
Su apagada alegría entre los muros
sólo en tres cuerdas tensas arrancaba
la claridad azul del mundo abierto
por los cuatro costados melodiosos,
por los cuatro horizontes de montañas.
Amontonado, lúbrico rebaño
que eclipsaba las fases de la luna,
los bíblicos moruecos vesperales,
las nubes que Miguel condujo a silbos
si un candelabro agreste o casi higuera
relámpagos y yeguas agrupaba.
Polvo de siglos, tolvanera, tromba
de arena restallada en los parrales,
en las agraces córneas de las uvas,
gajos enfermos por mirar al páramo
con órbita ocular. Santa Lucía
sanaba al lagrimal de los racimos

227

con el bálsamo astral de los milagros.
Pámpanos verdes y ópticos exvotos,
la granazón sacramental del fruto,
y allí Miguel, ya en paz con el viñedo,
pastor entre las cepas y los trigos,
la plateresca espiga en la Custodia,
en la harina de Dios, el canto enlaza
con el racimo agraz del Corpus Christi.
En el nativo campo casi apóstol,
perito en corzas tanto como en lunas,
erudito de lluvias malogradas,
furtivo cazador de meteoros
que atrapaba las nubes con reclamo,
mayoral que al rebaño, en el galope,
multiplicó, al oído, las pezuñas,
esto era él, entre pastores, cuando
la atropellada nata del ordeño
que rebosan las ubres mamales
nutriéndoles de ubérrimas delicias,
unas bicornes églogas restaura,
ya mi secreto el pez para Tobías,
la astronomía, metáfora y costumbre,
a ojo de buen cubero adivinada
con la infalible brama y el desove
de algún parto de lirios y de estrellas,
ancho sabor viejísimo, en sus manos,
como trozos de pan nos repartía.
La colmena del ser le rebosaba
la lenta miel del verso en los panales,
azucarada y densa y tenazmente,
de abejas obstinadas rodeado,
edificaba en sal su mausoleo.
Luz cegadora, a escala, sin penumbras,
palmera, dátil, alfajor morisco,

aljibe amamantado por los cielos,
moneda de la lluvia y su limosna,
yacija, huesa, estiércol, vil gusano,
pudieron ser, quizás, floridos huesos,
devanado esqueleto por la púrpura,
asnal carroña o can con pestilencia.
El mar azul le ciñe en su reposo,
cálidamente azul, áureo y tan libre
que algún peñón aborda, en la rompiente,
conmemorando a Venus, las gaviotas.
Rústico dios pagano entre olivares,
hondero de la luz del horizonte,
reverberante luz que era en la acequia
una voz en gargantas de arcabuces.
Duro canchal la piedra en el espacio,
torcal silvestre y alto con sus bultos
de pedernal tallado, áquila aleve
duplicada en la alberca con su equívoco
de mariposa equina... Era en el aire
un caballo de Troya entre vilanos
asaltando la estatua de la espumá.
Insecto, nube y luz, hebras de oro,
torzal, tapiz de seda el dulce viento
que abril desteje al Sol, de cumbre en cumbre.
La paz trasmina paz y en la campiña
huele el riego a lagartos vegetales
y a hecatombes de hormigas. La oropéndola,
vistosa, se cobija entre limones
mientras la lluvia es sombra de la espiga,
se otea el mar que el alto alcor elige
y el pico de la sed abriendo el aire
la paloma floral, blanca magnolia
—palomar el magnolio del aroma—
es la mano de Dios, cuando inaugura

la aparición del canto de las aves.
Desconsolados deudos los cipreses,
el naranjal, los huertos de Orihuela,
estaban frente a él con su epitafio.
Arrodillaba el monte su estatura
para escuchar su póstuma palabra.
¡Entonad sus exequias, ruiseñores,
y vosotros, llorosos, verdes sauces!
Muerte y resurrección, Dios le enumera
mientras navega el mundo con su tumba.

ADRIANO DEL VALLE

(En *Poesía Española*, N.º 34, Madrid, octubre
1954.)

LLANTO NO

(Homenaje a Miguel Hernández)

ES necesario ser de piedra o nada
como el mundo cerrado hasta la aurora,
de piedra en los altares fondeada,
de nada de los cielos invasora.

Es necesario ser, y serlo a gritos,
miguelhombre en pedazos y callado,
para aguantar la herida del costado
con los ojos abiertos y marchitos.

Pero hay que hacerlo: retorcer los codos,
hincarlos en el alma hasta la muerte,
y llamarte, Miguel, hambre de todos,
viento del pueblo que luchó por verte.

Por eso yo no quiero más el luto
que la sangre de mar viste de noche,
cuando una mano tira fruto a fruto
sobre ella la corteza del reproche.

Para que el hombre busque la memoria
si el río del vivir sale de España,
queda un verso, hortelano de la historia,
que nivela en la troje su cizaña.

Para que el hombre sepa que está vivo
y se deje de dar golpes de pecho,
queda tu voz colérica en acecho
del tiempo en los escombros fugitivo.

Quedas tú todavía, se derraman
tus ojos amarillos sobre el prado
donde los muertos de la guerra llaman
a las puertas de un sol desestrellado.

Sigues en pie, Miguel de España, meces
nuestra cuna del hambre todavía:
mira al hombre crispado hasta las heces
y vuélvenos tu fe de cada día.

ARTURO DEL VILLAR

(Del libro *Retrato retocado del poeta adolescente y de sus mitos*, Colección Aldebarán. Sevilla, 1974.)

ÍNDICE

234

235